Writing, Audio & Video Activities
Teacher's Edition

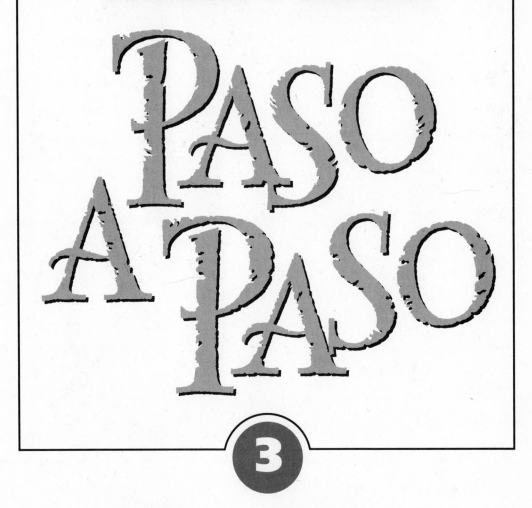

PASO A PASO

3

Janice G. Darias
Newton South High School
Newton Centre, MA

Peggy Boyles
Foreign Language Coordinator
Putnam City Schools
Oklahoma City, OK

D1401079

ScottForesman

Editorial Offices: Glenview, Illinois

Regional Offices: San Jose, California • Atlanta, Georgia
Glenview, Illinois • Oakland, New Jersey • Dallas, Texas

Table of Contents

ISBN: 0-673-21680-2
Copyright © 1996
Scott, Foresman and Company, Glenview, Illinois
All Rights Reserved. Printed in the United States of America.

For information regarding permission, write to:
Scott, Foresman and Company, 1900 East Lake Avenue, Glenview, Illinois 60025.

345678910-PT-I040302010099989796

Front Cover Photo: © Stewart Aitchnson/DDB Stock Photos
Back Cover Photo: © Buddy Mays/Travel Stock

Writing Activities

PASODOBLE Fecha

A Después de leer la información en tu libro de texto sobre la Escuela San Martín en Caracas, Venezuela, haz la misma encuesta con algunos de los compañeros(as) de tu escuela. Después, escribe los resultados a continuación.

Población: _Los resultados variarán._

Deportes favoritos: _____

Materias más populares: _____

Materias menos populares: _____

Actividades extracurriculares más populares: _____

Lo que se prohibe hacer: _____

Mejor comida de la cafetería: _____

Lugar más popular después de las clases: _____

Adónde van los fines de semana: _____

Actividades más populares cuando hace buen tiempo: _____

Actividades más populares cuando hace mal tiempo: _____

Actividad menos popular: _____

B Ahora vas a hacer una encuesta sobre los pasatiempos favoritos de tus compañeros de clase. Debes hacerles preguntas basadas en la información de la tabla y después calcular los porcentajes que van en cada columna. También, puedes añadir otros pasatiempos a la lista. Sigue el modelo.

¿Qué pasatiempo te encanta? ¿Cuál no soportas?

Pasatiempo	Me encanta	No lo soporto	Me aburre
bailar	_Los resultados variarán._		
leer			
practicar deportes			
ver deportes			
ir al cine			
ir de compras			
hacer ejercicio			
ir a fiestas			
ver la televisión			
tocar un instrumento musical			
jugar ajedrez			
hacer rompecabezas			
hacer crucigramas			

PASODOBLE   Fecha

C Después de leer los recuerdos que muchos lectores de *Pasodoble* tienen de sus días de fiesta favoritos, escribe un párrafo sobre uno que tú recuerdas de cuando eras pequeño(a).

Los párrafos variarán.

_____

_____

_____

_____

_____

_____

_____

_____

Ahora, esribe otro párrafo con tus recuerdos de un día de fiesta de cuando eras un poco mayor y tenías unos doce o trece años.

Los párrafos variarán.

_____

_____

_____

_____

_____

_____

_____

_____

_____

_____

PASODOBLE   Fecha _____

D Los tiempos cambian mucho y seguramente tu lista de necesidades y lujos será diferente de las que viste en *Pasodoble*. Piensa en cómo es tu vida diaria y en los aparatos que tienes en tu casa o apartamento. Luego, haz tu propia lista de lujos y necesidades.

Lujos	**Necesidades**
Las listas variarán.	_____
_____	_____
_____	_____
_____	_____
_____	_____
_____	_____
_____	_____
_____	_____

E Escribes la columna de consejos *Guíatodo* en el periódico de la escuela. Ayer recibiste estas cartas y quieres contestarlas en el próximo número. ¿Qué recomendaciones y consejos vas a darles a estos estudiantes?

Querido(a) *Guíatodo*:

Voy a pasar dos meses y medio en Colombia. Hace frío en las montañas, pero hace calor en los valles. ¿Qué tipo de ropa debo llevar para ponerme? ¿Qué actividades puedo hacer allí?

Una pasajera fresca

_____:

Los consejos variarán. _____

_____

_____

_____

_____

_____

PASODOBLE

Querido(a) *Guíatodo*:

En octubre voy a viajar a la Ciudad de México. No hablo muy bien el español y tengo miedo de hablar con los mexicanos. ¿Qué me recomiendas que haga?

Miedoso en México

_____:

Los consejos variarán.

_____

_____

_____

_____

_____

Querido(a) *Guíatodo*:

Me encanta la naturaleza. El mes que viene voy a viajar a Costa Rica y quiero hacer una excursión a la selva tropical. ¿Puedo hacerla sola? ¿Qué debo llevar? ¿Qué más debo hacer?

Nerviosa por naturaleza

_____:

Los consejos variarán.

_____

_____

_____

_____

_____

F Escribe tus propias predicciones sobre el futuro. ¿Qué ropa usaremos? ¿Qué comeremos? ¿Cómo y dónde viviremos en el siglo XXI? ¿Será mejor o peor nuestra vida? ¿Qué trabajos serán los mejores? ¿Nos hará la tecnología más fácil o más difícil la vida? ¿Qué más ocurrirá en el futuro?

Las predicciones variarán.

_____

_____

_____

_____

_____

_____

A Piensa en todas las personas que conoces. Describe a cuatro de ellas y di cómo te llevas con cada una. Sigue el modelo.

Clara es responsable. Me llevo muy bien con ella.

1. *Las oraciones variarán.* _____

2. _____

3. _____

4. _____

B Lee la descripción de cada persona y escribe el adjetivo que mejor la describa.

1. Me llamo Marcos. Siempre pienso en mis amigos primero y pongo sus necesidades antes de las mías. Si veo a una persona que lleva muchas cosas, la ayudo: le abro la puerta o le ayudo a llevar las cosas. Generalmente, no discuto con nadie. Soy una persona…

c o n s i d e r a d a .

2. Me llamo Teresa. Cuando mis amigos tienen problemas, me buscan a mí y les doy consejos porque entiendo sus problemas muy bien. Soy una persona…

c o m p r e n s i v a .

3. Me llamo Miguel. Mis amigos suelen preocuparse por muchas cosas, tales como los exámenes y cosas por el estilo, pero yo no. A mí me parece que no es necesario ponerse nervioso. Soy una persona…

t r a n q u i l a .

4. Me llamo Tomás. Siempre me preocupa cómo me ven los demás. Quiero que las chicas piensen que soy muy guapo y por eso me miro mucho en el espejo. ¡Por supuesto, siempre llevo un espejo pequeño en mi bolsillo! Soy una persona…

v a n i d o s a .

5. Me llamo Isabel. No le puedo mentir a nadie. Prefiero decir la verdad siempre por muy difícil que sea a veces. Soy una persona…

s i n c e r a .

C ¿Qué hacen tú y tus amigos después de las clases? Escribe oraciones completas para explicar las actividades, los trabajos y/o los trabajos comunitarios que Uds. hacen. Sigue el modelo.

Marta es aficionada a los deportes. Ella se inscribió en el equipo de esgrima.

1. *Las oraciones variarán.* _____

   _____

2. _____

   _____

3. _____

   _____

4. _____

   _____

5. _____

   _____

D Hoy estás cuidando a Carlitos, que tiene cuatro años y es bastante travieso. Ya es la hora de acostarse. Dile lo que tiene que hacer. Sigue el modelo.

lavarse la cara

   Carlitos, lávate la cara.

1. apagar la televisión   *Carlitos, apaga la televisión.* _____

2. beber la leche   *Carlitos, bebe la leche.* _____

3. cepillarse los dientes   *Carlitos, cepíllate los dientes.* _____

4. ponerse la camiseta   *Carlitos, ponte la camiseta.* _____

5. escuchar la radio   *Carlitos, escucha la radio.* _____

6. dormirse   *Carlitos, duérmete.* _____

E Contesta las preguntas de la siguiente encuesta sobre tu vida familiar. Usa los pronombres de los complementos directos e indirectos donde sea necesario. Sigue el modelo.

¿Les haces caso a tus padres?

Sí, les hago caso a mis padres.

1. ¿Visitas a tus abuelos frecuentemente?

Las respuestas variarán. _____

2. ¿Respetas a tus padres?

_____

3. ¿Cuál de tus parientes te influye más?

_____

4. ¿Quién te da consejos?

_____

5. ¿Sigues esos consejos?

_____

F ¿Cuántos años hace que estudias en la misma escuela? Escribe oraciones completas para describir *lo mejor, lo peor, lo interesante* y *lo difícil* de tu escuela o de tus clases hasta ahora. Sigue el modelo.

Lo mejor de la escuela es la biblioteca.

1. *Las oraciones variarán.* _____

2. _____

3. _____

4. _____

5. _____

6. _____

7. _____

8. _____

CAPÍTULO 1

Fecha

G Estás en tu último año de secundaria y tienes que llenar el formulario para inscribirte en la universidad. Después de escribir los datos más importantes, te piden que escribas un párrafo sobre ti mismo(a) para que puedan conocerte mejor.

Antes de empezar a escribir, haz una lista de tus mejores y peores características, las actividades y trabajos comunitarios en los que participas y otras cosas que influyen en tu personalidad. Empieza con una descripción de ti mismo(a). Usa adjetivos que describan tu forma de ser. ¿Quién te influye mucho? Sigue con las actividades extracurriculares que haces. ¿Qué te hace diferente de tus compañeros o compañeras? Termina con una frase que describa por qué te consideras un(a) buen(a) estudiante. O sea, ¿por qué deben aceptarte en la universidad?

Ahora, escribe tu párrafo. Cuando termines, revisa los tiempos de los verbos. ¿Pusiste los acentos donde eran necesarios? ¿Escribiste las terminaciones de los verbos correctamente? ¿Usaste los pronombres directos e indirectos correctamente?

Los párrafos variarán.

CAPÍTULO 1

H Quieres ganar un poco de dinero extra y estás buscando un trabajo en la sección de anuncios del periódico. Lee estos tres anuncios y decide cuál te conviene más. Vas a llamar por teléfono, pero primero quieres prepararte para la llamada para causar una buena impresión. Piensa en lo que te va a decir y preguntar la persona que conteste tu llamada. Después, escribe tus respuestas.

SE NECESITA ESTUDIANTE para dar clases particulares a un estudiante de octavo grado. Tiene que ser muy responsable y paciente, y tener conocimientos avanzados de matemáticas. Llama al 89-49-27 después de las 5 P.M.	**SE BUSCA AYUDANTE** para una guardería de bebés. Si eres considerado(a), tranquilo(a) y tienes buen sentido del humor, llama inmediatamente al teléfono 48-64-18.	**¿TE GUSTA LEVANTARTE TEMPRANO** por la mañana y hacer ejercicio? ¡Pues, puedes repartir periódicos en tu bicicleta y ganar dinero a la vez que haces ejercicio! Es importante ser muy responsable y puntual. Si eso te describe a ti, llama al 82-22-74.

EL TRABAJO QUE QUIERES: _Las respuestas variarán._ _____

LA PERSONA: _____

TÚ: _____

LA PERSONA: _____

TÚ: _____

LA PERSONA: _____

TÚ: _____

LA PERSONA: _____

TÚ: _____

A Cada una de las siguientes personas está perdida y busca un sitio en particular. Dile dónde puede encontrarlo según los dibujos y tus propios conocimientos. Sigue el modelo.

El ciclista puede encontrar el rascacielos en el centro de la ciudad.

1. _____ / _____

Las oraciones variarán.
El peatón puede encontrar el puente cerca del río. _____

2. el turista /

El turista puede encontrar el peaje en la carretera (de peaje). _____

3. María Luisa /

María Luisa puede encontrar la granja en el campo. _____

4. Marcos /

Marcos puede encontrar la autopista en las afueras. _____

CAPÍTULO 2

Fecha _____

B Mira los dibujos y describe dónde vive cada persona. También escribe una oración que incluya una ventaja y una desventaja de vivir en esos lugares. Sigue el modelo.

Marta /

Marta vive en la ciudad. Por un lado hay muchos museos, pero por otro lado hay muchos atascos.

1. Luisa /

Las oraciones variarán.
Luisa vive en el campo. Por un lado la vida es segura, pero por otro lado todo queda _____

muy lejos. _____

2. Tomás /

Tomás vive en la ciudad. Por un lado los restaurantes están al alcance de la mano, pero por

otro lado el aire está contaminado. _____

3. Victoria /

Victoria vive en las afueras. Por un lado hay más espacio, pero por otro lado la vida es

aburrida. _____

4. tú / **¿ ?**

_____

_____

Nombre ______________________________

Fecha ______________________________

C Completa el crucigrama según las pistas.

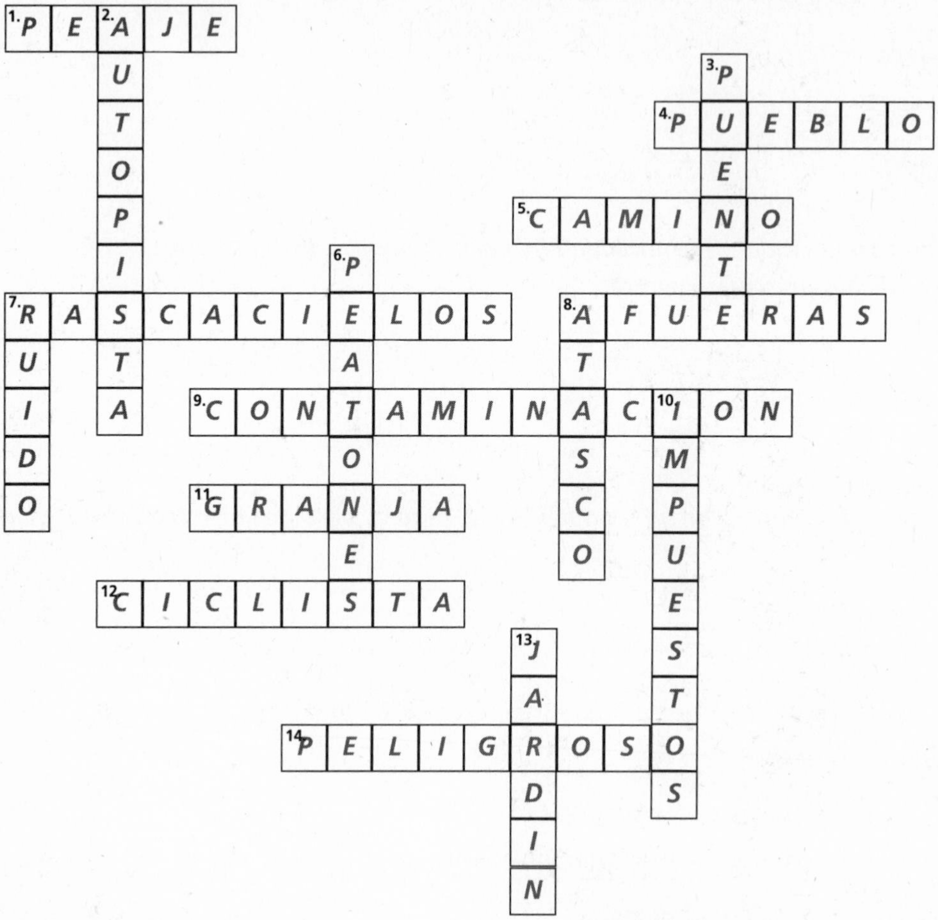
1. PEAJE
2. AUTOPISTA
3. PUENTE
4. PUEBLO
5. CAMINO
6. PEATONES
7. RASCACIELOS
7. RUIDO
8. AFUERAS
8. ATASCO
9. CONTAMINACION
10. IMPUESTOS
11. GRANJA
12. CICLISTA
13. JARDIN
14. PELIGROSO

HORIZONTALES

1. El lugar donde hay que pagar en la carretera

4. No es una ciudad grande sino un _____ pequeño.

5. Una calle pequeña

7. Un edificio muy alto que se encuentra en una ciudad

8. No está dentro de la ciudad sino en las _____.

9. La suciedad en el aire, el agua, etc.

11. Un lugar donde se cultivan plantas para ganarse la vida

12. La persona que monta en bicicleta

14. Es muy _____ caminar en el centro de la autopista.

VERTICALES

2. Una carretera que va entre la ciudad y las afueras

3. La estructura que se usa para cruzar un río

6. Las personas que caminan

7. Si pones la música a un volumen muy alto, hay mucho _____.

8. Lo que pasa cuando hay demasiados coches y ninguno puede moverse

10. El dinero que se paga al gobierno

13. Un lugar cerca de una casa donde se plantan flores

CAPÍTULO 2

D ¿Qué hacías a menudo cuando tenías seis años? Escribe cinco oraciones que describan las actividades que solías hacer. Sigue el modelo.

Cuando tenía seis años, comía un sandwich de queso todos los días.

1. *Las oraciones variarán.* _____

_____

2. _____

_____

3. _____

_____

4. _____

_____

5. _____

_____

E Escribe ocho oraciones que describan cómo eran tu casa y tu dormitorio cuando tenías diez años. Sigue el modelo.

Mi casa era blanca y muy grande. Había muchos cuartos.

1. *Las oraciones variarán.* _____

2. _____

3. _____

4. _____

5. _____

6. _____

7. _____

8. _____

F Tú y tus amigos(as) se pasaron toda la tarde haciendo los preparativos para una fiesta. Ahora quieren estar seguros(as) de que todo está listo. Mira los dibujos y describe cómo está cada cosa. Sigue el modelo.

/ servir   *Los refrescos están servidos.*

1.   / decorar   *La sala está decorada.*

2.   / encender   *Las velas están encendidas.*

3.   / preparar   *Los tacos están preparados.*

Después de la fiesta, ¿cómo están las siguientes cosas?

4.   / esconder   *Los discos compactos están escondidos.*

5.   / romper   *El plato está roto.*

6. tú / dormir   *Tu estás dormido(a).*

CAPÍTULO 2

G Acabas de volver de un viaje magnífico a Madrid, España. No quieres olvidar la ciudad y sus lugares de interés, así que vas a describirla en tu diario. Primero, usa el imperfecto para describir la ciudad. ¿Qué había en la ciudad? ¿Cómo eran las calles y los edificios? ¿Cuáles eran las ventajas y las desventajas de estar en Madrid? También explica lo que hacías todos los días allí. Finalmente, añade otros detalles importantes de tu viaje, por ejemplo: ¿Cuánto tiempo estuviste en Madrid? ¿Qué tiempo hacía?, etc.

Ahora, escribe tu descripción. Cuando termines, revísala. ¿Pusiste los acentos donde eran necesarios? ¿Escribiste los tiempos y las terminaciones de los verbos correctamente? ¿Usaste el imperfecto y el participio pasado como adjetivo?

Las descripciones variarán.

_____

_____

_____

_____

_____

_____

_____

_____

_____

_____

_____

_____

_____

_____

_____

_____

_____

_____

Nombre _____

CAPÍTULO 2

Fecha _____

Writing Activities

H Lee las instrucciones que tu amigo te dio para ir a la fiesta que va a dar en su casa. Traza una línea en el mapa para indicar cómo se llega.

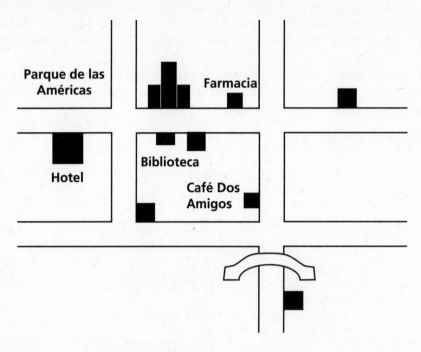

Estás en el hotel enfrente del Parque de las Américas. Sigue derecho por esa calle. Hay unos rascacielos y una farmacia a la izquierda. Dobla a la derecha en la próxima calle. Sigue derecho hasta pasar por debajo del puente de peatones. Mi casa está a la izquierda.

Mario, otro amigo tuyo, tampoco sabe cómo llegar a la fiesta. Te llama y te pide instrucciones. Él vive al lado de la biblioteca. Escríbele las instrucciones para llegar a la fiesta.

Las instrucciones variarán.

_____

_____

_____

_____

_____

A Trabajas de voluntario en un estudio de arte para niños de diez años. Estás tomando apuntes sobre las preferencias artísticas de los niños. Sigue el modelo.

Jorge /

Jorge prefiere pintar de pie.

1. Eduardo /

Eduardo prefiere pintar un autorretrato.

_____

_____

2. Elisa y Juanita /

Elisa y Juanita prefieren pintar una

naturaleza muerta.

_____

3. Mario y Carlota /

Mario y Carlota prefieren pintar un retrato.

_____

_____

4. Alicia y Humberto /

Alicia y Humberto prefieren pintar un mural.

_____

_____

5. Guillermo /

Guillermo prefiere pintar sentado.

_____

_____

B Escribe una definición de cada uno de los siguientes términos artísticos.

Las respuestas variarán. Éstas son algunas respuestas posibles.

1. el realismo   *Pintar las cosas tal como son.*

2. el surrealismo   *Pintar las cosas de la imaginación.*

3. el cubismo   *Pintar las cosas desde más de un punto de vista.*

4. el impresionismo   *Pintar las sensaciones creadas por el color y la luz.*

C Pon en orden las letras revueltas *(scrambled)* para formar palabras relacionadas con el arte.

1. bimsuco   c u (b) (i) (s) m (o)

2. telapa   (p) a l e t a

3. botsatcra   (a) b s t r (a) (c) t (o)

4. fperli   p e r f i l

5. girufa   f i g u r a

6. stelpa   (p) a (s) t e (l)

Ahora, con las letras que están dentro de los círculos, escribe el nombre de uno de los artistas españoles más famosos del siglo XX.

P a b l o P i c a s s o

D Hacía mucho frío ayer. Por eso, las siguientes personas se pusieron ropa especial.
Mira los dibujos y describe lo que se puso cada uno. Sigue el modelo.

Julia /      *Julia se puso una bufanda.*

1. Antonio /   *Antonio se puso un abrigo.*

2. Uds. /   *Uds. se pusieron guantes.*

3. yo /   *Me puse (las) botas.*

4. tú /   *Te pusiste un gorro.* _____

5. Marta y yo /   *Marta y yo nos pusimos suéteres (un suéter).* _____

E Los estudiantes de la clase de español hicieron una fiesta para reunir dinero para la gente pobre de su comunidad. Cada persona influyó en las decisiones de las otras personas que hicieron contribuciones. Escribe oraciones completas con la información que sigue para describir lo que pasó. Sigue el modelo.

Luisa / Diego / $20

Luisa influyó en la decisión de Diego. Él contribuyó veinte dólares.

1. nosotros / Marcos y Tomás / $47

Nosotros influimos en la decisión de Marcos y Tomás. Ellos contribuyeron cuarenta y siete dólares.

2. Sra. Montalbán / yo / $15

La señora Montalbán influyó en mi decisión. Contribuí quince dólares.

_____

3. tú / Anita / $24

Tú influiste en la decisión de Anita. Ella contribuyó veinticuatro dólares.

_____

4. Anita y Celia / tú / $10

Anita y Celia influyeron en tu decisión. Contribuiste diez dólares.

_____

5. Diego / nosotros / $50

Diego influyó en nuestra decisión. Contribuimos cincuenta dólares.

_____

6. los pobres / todos nosotros / $116

Los pobres influyeron en la decisión de todos nosotros. Contribuimos ciento dieciséis dólares.

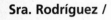

F Acaba de ocurrir un accidente de coches en la calle Castilla. Mira los dibujos y describe lo que estaba haciendo cada persona cuando ocurrió. Recuerda que hay dos maneras de escribir un pronombre con el participio. Sigue el modelo.

Sra. Rodríguez /

La señora Rodríguez estaba lavándose el pelo cuando el accidente ocurrió. o: *La señora Rodríguez se estaba lavando el pelo cuando el accidente ocurrió.*

1. nosotros /

Nosotros estábamos leyendo cuando el accidente ocurrió.

2. Carmencita y Pati /

Carmencita y Pati estaban durmiendo cuando el accidente ocurrió.

3. Uds. /

Uds. estaban viendo la televisión (la tele) cuando el accidente ocurrió.

4. Elena /

Elena estaba vistiéndose (se estaba vistiendo) cuando el accidente ocurrió.

5. Srta. Robles y Sra. Delfín /

La señorita Robles y la señora Delfín estaban peinándose (se estaban peinando) cuando el accidente ocurrió.

6. yo /

Yo estaba corriendo cuando el accidente ocurrió.

G Para el examen final de la clase de historia del arte tienes que describir una obra de arte, interpretar su mensaje y dar tu opinión de la obra. Tu profesor quiere que describas una de las pinturas de Rufino Tamayo que aparecen en la página 119 de tu libro de texto.

Antes de empezar a escribir, mira la obra con cuidado. Después, organiza tus ideas. Es mejor que empieces con una descripción de la obra antes de interpretar el mensaje del pintor. ¿Es una obra realista, impresionista o surrealista? ¿Qué hay en el primer plano, en el fondo, en el centro? ¿Cómo son los colores, la luz, las sombras? Ahora, interprétala. ¿Por qué crees que el pintor la pintó así? Finalmente, incluye tu propia opinión de la obra.

Ahora, escribe tu descripción. Cuando termines, revísala. ¿Pusiste los acentos donde eran necesarios? ¿Escribiste los tiempos y las terminaciones de los verbos correctamente? ¿Usaste el pretérito y el imperfecto progresivo?

Las descripciones variarán.

_____

_____

_____

_____

_____

_____

_____

_____

_____

_____

_____

_____

_____

_____

_____

_____

_____

_____

_____

H Lee las descripciones de las dos clases de arte. Ahora escoge la clase que prefieres (la de principiantes o la avanzada) y explica por qué. ¿Un pintor famoso influyó en tu decisión? ¿Quieres contribuir al mundo de las bellas artes? Después, haz una lista de las cosas que tienes que comprar ahora o después de tu primera clase. Finalmente, piensa en tus actividades extracurriculares y decide qué noches quieres asistir a la clase. Explica por qué.

CLASES DE ARTE

ARTE 101 *Pintura para principiantes*

Ésta es una clase para los que quieren aprender a pintar, pero que no tienen nada de experiencia. La clase empieza con una lección sobre los diferentes estilos de arte. Después, las sesiones son de práctica. Aprenderán a pintar rápidamente. No hay que comprar materiales antes de la primera clase porque el profesor quiere hablar con los estudiantes antes de que hagan sus compras.

Lunes y miércoles, 7:30-9:00 P.M.
$150 / seis semanas
Martes y jueves, 7:00-8:30 P.M.
$200 / ocho semanas

ARTE 201 *Pintura avanzada*

Esta clase es para los estudiantes que han terminado o la clase para principiantes u otra clase similar. Deben saber ya las técnicas básicas de pintura y tener sus propios materiales para pintar. Deben traer pinceles, paletas y pinturas a la primera clase para empezar a pintar inmediatamente. El profesor les dará el papel necesario.

Martes y jueves, 7:30-9:00 P.M.
$175 / seis semanas
Lunes y miércoles, 7:00-8:30 P.M.
$200 / ocho semanas

Las descripciones variarán.

_____

_____

_____

_____

_____

_____

_____

_____

_____

Nombre _____

CAPÍTULO 4

Fecha _____

A Busca estas diez palabras, que se usan para hablar de la televisión y de los programas de televisión. Traza un círculo alrededor de cada palabra horizontal, vertical y/o diagonalmente.

público	locutora	noticiero	informativo	comentario
violento	objetivo	negativo	reportaje	subjetivo

S	C	A	I	N	F	O	R	M	A	T	I	V	O
U	B	O	B	J	E	T	I	V	O	Q	U	M	I
B	I	J	M	A	L	N	E	B	R	I	V	E	N
J	R	I	N	E	G	A	T	I	V	O	T	S	L
E	S	E	A	N	O	T	I	C	I	E	R	O	O
T	X	B	V	E	S	T	O	I	R	G	E	C	C
I	R	E	P	O	R	T	A	J	E	B	L	N	U
V	I	O	L	E	N	T	O	R	B	T	U	M	T
O	S	E	D	M	P	T	E	L	I	T	E	I	O
E	J	I	M	F	H	E	J	A	B	O	R	S	R
P	U	B	L	I	C	O	I	B	E	P	M	O	A

B ¿Qué programas de televisión o películas viste la semana pasada? Escribe lo que viste, menciona si te gustó o no, e indica por qué. Sigue el modelo.

Vi las noticias toda la semana pasada. Me gustó verlas porque eran muy informativas.

1. *Las oraciones variarán.* _____

   _____

2. _____

   _____

3. _____

   _____

4. _____

   _____

C Escoge tres programas de televisión que son populares entre tus amigos y otras personas de tu edad. Después, analiza cómo les influyen esos programas. Escribe oraciones completas al explicar tu respuesta. Sigue el modelo.

"Cheers" es una comedia vieja, pero todavía nos entretiene. A veces enseña una lección al público.

1. *Las oraciones variarán.*

2.

3.

D Escribe oraciones completas que describan cuatro cosas que has hecho hoy. Sigue el modelo.

He desayunado huevos fritos con pan tostado y jugo.

1. *Las oraciones variarán.*

2.

3.

4.

E Ahora, escribe oraciones de lo que estas personas han hecho hoy, según la información que te damos. Sigue el modelo.

Teresa / leer una composición   *Teresa ha leído una composición.*

1. Pablo / romperse la pierna en el gimnasio

   Pablo se ha roto la pierna en el gimnasio.

2. Lourdes / devolver los libros a la biblioteca

   Lourdes ha devuelto los libros a la biblioteca.

3. tú / hacer la tarea para la clase de biología

   Has hecho la tarea para la clase de biología.

4. Ricardo y Luis / ver una película científica

   Ricardo y Luis han visto una película científica.

5. Margarita y yo / escribir un informe para la clase de historia

   Margarita y yo hemos escrito un informe para la clase de historia.

F Mira los dibujos y describe lo que cada persona no pudo hacer porque tuvo que hacer otra cosa. Sigue el modelo.

Raquel / *Raquel no pudo dormir porque tuvo que estudiar.*

1. yo /

No pude ver la tele porque tuve que tocar la guitarra.

_____

2. Marta y Juan /

Marta y Juan no pudieron hablar por teléfono porque tuvieron que lavar los platos.

_____

3. tú /

No pudiste nadar porque tuviste que limpiar el baño.

_____

4. María y yo /

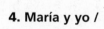

María y yo no pudimos escuchar música porque tuvimos que pasar la aspiradora.

_____

G Cada una de estas personas dijo que le dio un regalo muy bueno a su madre por el Día de la Madre. Mira los dibujos y escribe oraciones completas que describan los regalos. Sigue el modelo.

Carlos /

Carlos dijo que le dio flores a su madre.

1. **Mercedes y su hermana /**

Mercedes y su hermana dijeron que le dieron un suéter de cuello alto a su madre.

2. **yo /**

Dije que le di un chandal a mi madre.

3. **tú /**

Dijiste que le diste un pañuelo a tu madre.

4. **mi hermano y yo /**

Mi hermano y yo dijimos que le dimos un bolso a nuestra madre.

Nombre _____

CAPÍTULO 4

Fecha _____

H De vez en cuando escribes artículos para el periódico escolar. Hoy te han pedido que escribas un comentario crítico sobre una película que has visto recientemente. Antes de empezar a escribir tu comentario, piensa en la película que vas a describir. ¿Te gustó? ¿Se la recomiendas a otras personas?

Empieza tu comentario con un breve resumen de la película: el título, su clasificación y una descripción breve de lo que pasa. Mientras das el resumen del argumento de la película, también da una descripción y tu opinión de las varias partes. ¿Es divertida? ¿Romántica? ¿Cómo influye la película al público? ¿Por qué? En fin, ¿recomiendas que tus compañeros la vean? ¿Por qué?

Ahora, escribe tu comentario. Cuando termines, revísalo. ¿Has escrito correctamente todas las palabras? ¿Has puesto los acentos donde son necesarios? ¿Has escrito las terminaciones de los verbos correctamente? ¿Usaste diferentes tiempos verbales?

Los comentarios variarán.

_____

_____

_____

_____

_____

_____

_____

_____

_____

_____

_____

_____

_____

_____

_____

_____

_____

CAPÍTULO 4

I Gloria, una chica de dieciséis años, y su madre no van a estar en casa el sábado. Ahora tienen que decidir qué película van a grabar, por eso están leyendo las recomendaciones del comentarista del periódico. Quieren saber qué películas recomienda. Escribe el diálogo entre Gloria y su madre mientras hablan de cuál de las películas van a grabar.

Raúl Mirador les recomienda que graben:

TERROR
tve-1 / sábado / 6:30 P.M.
El coleccionista. Actores: TERENCE STAMP, SAMANTHA EGGAR; director: WILLIAM WYLER. Título en inglés: *The Collector.*

CIENCIA FICCIÓN
tve-2 / sábado / 4:00 P.M.
S.O.S.: Equipo Azul. Actores: KATE CAPSHAW, LEA THOMPSON, LEAF PHOENIX, TOM SKERRITT; director: HARRY WINER. Título en inglés: *Spacecamp.*

AVENTURAS
Telepelículas / sábado / 9:00 P.M.
El chico de oro. Actores: EDDIE MURPHY, CHARLOTTE LEWIS; director: MICHAEL RITCHIE. Título en inglés: *The Golden Child.*

DRAMA ROMÁNTICO
Canal 3 / sábado / 11:00 P.M.
Como agua para chocolate. Actores: LUMI CAVAZOS, MARCO LEONARDI; director: ALFONSO ARAU. Título en inglés: *Like Water for Chocolate.*

GLORIA: *Los diálogos variarán.* _____

SU MADRE: _____

GLORIA: _____

SU MADRE: _____

GLORIA: _____

SU MADRE: _____

GLORIA: _____

SU MADRE: _____

GLORIA: _____

SU MADRE: _____

GLORIA: _____

SU MADRE: _____

Paso a paso 3

CAPÍTULO 5

Nombre ______________________

Fecha ______________________

Writing Activities

A Completa el crucigrama con las palabras que correspondan a los dibujos.

HORIZONTALES

2. 

3. 

5. 

6. 

8. 

9. 

10. 

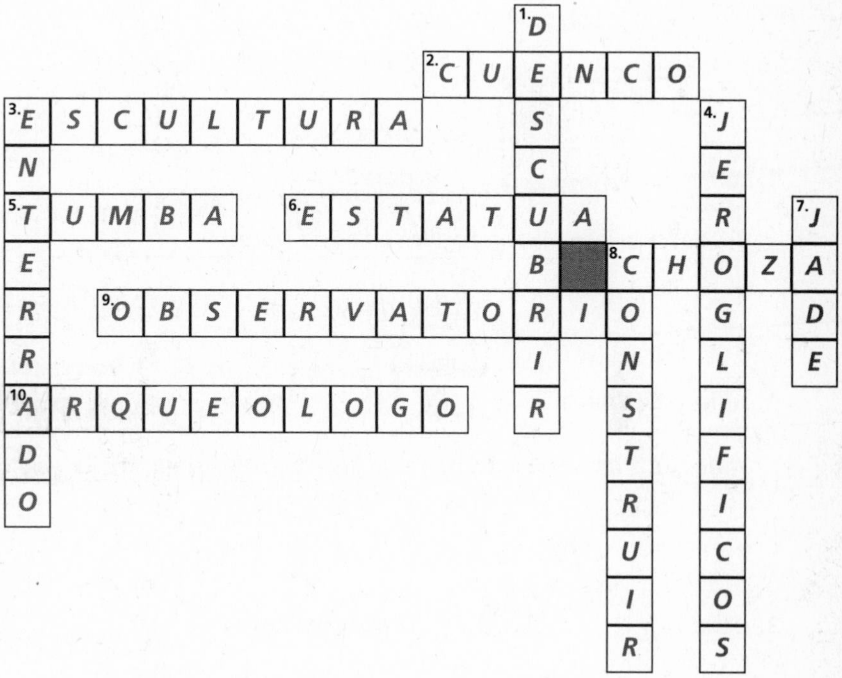

1. DESCUBRIR
2. CUENCO
3. ESCULTURA
3. ENTERRADO
4. JEROGLIFICOS
5. TUMBA
6. ESTATUA
7. JADE
8. CHOZA
8. CONSTRUIR
9. OBSERVATORIO
10. ARQUEOLOGO

VERTICALES

1. 

3. 

4. 

7. 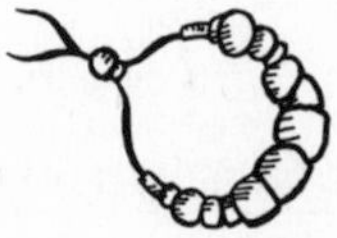

8. 

B Estás apuntando los descubrimientos de un grupo de arqueólogos. Fíjate en los dibujos y escribe lo que cada persona descubrió. Sigue el modelo.

Mariela / / **pirámide**   *Mariela descubrió una estatua en la pirámide.*

1. tú / / **pared**

Tú descubriste unos jeroglíficos en la pared.

2. Julio y Betina / / **selva**

Julio y Betina descubrieron una choza en la selva.

3. Celia / / **observatorio**

Celia descubrió unas vasijas en el observatorio.

4. Alejandro y yo / / **tumba**

Alejandro y yo descubrimos un cuenco en la tumba.

C Los mayas tenían una civilización avanzada que contribuyó mucho al mundo. Escribe oraciones que expliquen el significado de las palabras a continuación. Sigue el modelo.

observatorio   *Los astrónomos mayas estudiaban las estrellas desde sus observatorios.*

1. calendario: *Las oraciones variarán: Éstas son algunas posibles. Los mayas tenían un calendario sagrado para sus fiestas religiosas y un calendario solar de 365 días.*

2. matemáticas: *Los mayas entendían el concepto del cero y lo usaban como número.*

3. sistema de escritura: *Los mayas usaban jeroglíficos para representar sílabas y palabras, y para describir su historia.*

4. religión: ___La religión de los mayas se basaba en la siembra y la cosecha.___

_____

5. quiché: ___Los mayas hablaban su propio idioma, el quiché, que todavía se habla en la___

___península de Yucatán.___

D Por lo general, los niños empiezan a aprender mucho cuando llegan a la escuela primaria. Pero este año los estudiantes de la señora García ya sabían hacer muchas cosas. Mira los dibujos y escribe cuánto tiempo hacía que ellos hacían cada cosa. Sigue el modelo.

Marta / 2 meses /   *Hacía dos meses que Marta dibujaba.*

1. Carlitos / 1 año /

Hacía un año que Carlitos leía. _____

2. Tere y Mari / 3 meses /

Hacía tres meses que Tere y Mari hacían rompecabezas. _____

3. Raúl / 3 años /

Hacía tres años que Raúl corría. _____

4. Juan y yo / 2 meses /

Hacía dos meses que Juan y yo patinábamos. _____

E Antes de las siete de la mañana, la familia Sánchez hizo muchas actividades. Mira los dibujos y describe lo que cada persona había hecho antes de las siete. Sigue el modelo.

Sr. Sánchez /   *El señor Sánchez ya se había duchado.*

1. tú /

Ya habías arreglado tu cuarto. _____

2. Sra. Sánchez /

La señora Sánchez ya había lavado la ropa. _____

3. Margarita y Melania /

Margarita y Melania ya se habían vestido. _____

4. nosotros /

Ya habíamos hecho un crucigrama. _____

F Han pasado seis meses y los estudiantes de la señora García siguen haciendo lo que hacían antes. Escribe oraciones completas que describan lo que hacen ahora. Sigue el modelo.

Marta sigue dibujando.

1. *Carlitos sigue leyendo.* _____

2. *Tere y Mari siguen haciendo rompecabezas.* _____

3. *Raúl sigue corriendo.* _____

4. *Juan y yo seguimos patinando.* _____

CAPÍTULO 5

Fecha

G Estás de viaje en Honduras y fuiste a ver la excavación de unas ruinas mayas en Copán. Escribe una descripción en tu diario de todo lo que has visto y aprendido en tu viaje.

Empieza la descripción con la fecha y el nombre del lugar que estás visitando. Explica lo que has hecho desde que llegaste a Honduras. Incluye una breve explicación de la importancia de la civilización de los mayas. ¿Qué contribuciones han hecho al mundo? ¿Cómo sabemos tanto de su civilización? ¿Todavía existe la cultura maya? Describe también la excavación en Copán que has visitado. ¿Qué cosas descubrieron mientras estabas en la excavación? ¿Qué cosas habían descubierto antes? ¿Cuánto tiempo hacía que los mayas vivían en ese lugar? Termina con tus opiniones sobre el valor de conservar el pasado.

Ahora, escribe en tu diario. Cuando termines, revisa lo que has escrito. ¿Has escrito correctamente todas las palabras? ¿Has puesto los acentos donde son necesarios? ¿Has escrito las terminaciones de los verbos correctamente? ¿Usaste diferentes tiempos verbales?

Las descripciones variarán.

H Quieres hacer un viaje a un país hispanoamericano porque te fascinan las civilizaciones del pasado. Ahora estás en una agencia de viajes. Escribe la conversación que tienes con el(la) agente. No te olvides de hacerle preguntas sobre los precios, los vuelos, los hoteles, las mejores fechas para viajar y los lugares de interés que debes visitar.

Chichén Itzá, Yucatán, México

Hacía más de mil años que los mayas construían las maravillosas pirámides de Chichén Itzá. ¡Explóralas con nosotros!
- Excursiones diarias a las ruinas
- Hoteles de primera clase
- Artesanía maya (de ayer y actual)

Nuestros guías hablan tu idioma y les encantará llevarte en sus "Aventuras Mayas."
¡Habla con tu agente de viajes hoy!

San Agustín, Colombia

¡Descubre una civilización misteriosa!
- Explora las ruinas.
- Examina las estatuas de piedra.
- Quédate en nuestro campamento de lujo.
- Habla con Juan del Río, antropólogo y experto.

¡Sólo con Excursiones Precolombinas podrás descubrir los misterios del pasado!

¡Habla con tu agente de viajes en seguida!

TÚ: *Las conversaciones variarán.* _____

AGENTE DE VIAJES: _____

TÚ: _____

AGENTE DE VIAJES: _____

TÚ: _____

AGENTE DE VIAJES: _____

TÚ: _____

AGENTE DE VIAJES: _____

TÚ: _____

AGENTE DE VIAJES: _____

A Completa el crucigrama según las pistas que te damos abajo.

HORIZONTALES

4. Contestador _____

7. Cuando contestas una llamada, dices _____

8. Un papel con preguntas y espacios en blanco que tienes que llenar

9. El sonido que oyes cuando descuelgas el teléfono

10. La persona que envía una carta

11. Una caja que mandas por correo

12. La persona que recibe una carta

VERTICALES

1. Un tipo de teléfono que puedes llevar por toda la casa

2. Una despedida en una carta

3. Cuando una máquina contesta tu llamada, debes _____.

5. Un tipo de teléfono que llevas en el coche y a otros lugares

6. La persona que te trae las cartas

B Quieres mandarle un regalo a un amigo que vive en otro país, pero primero tienes que llenar este formulario.

Destinatario

Nombre *La información variará.* _____

Dirección o apartado postal _____

Ciudad/País/Código postal _____

Remitente

Nombre _____

Dirección o apartado postal _____

Ciudad/País/Código postal _____

Contenido del paquete

_____

Valor _____ Marque aquí si es un regalo _____

Peso: _____ libras _____ onzas

C Describe las ventajas y desventajas de los siguientes inventos en el campo de las comunicaciones. Sigue el modelo.

el correo   *El correo es barato, pero las cartas y los paquetes tardan mucho tiempo en llegar a los destinatarios.*

1. el fax   *Las oraciones variarán.* _____

_____

2. el correo electrónico _____

_____

3. las conferencias por video _____

_____

4. las computadoras interactivas _____

_____

Capítulo 6

D Cada una de las siguientes personas quiere mandarles a sus amigos noticias importantes. Primero, escribe las noticias. Luego, escribe la forma en que va a mandar las noticias. Sigue el modelo.

Gloria / ser actriz en una telenovela / fax

Gloria será actriz en una telenovela. Mandará las noticias por fax.

1. Isabel / recibir un coche gratis / correo electrónico

Isabel recibirá un coche gratis. Mandará las noticias por correo electrónico.

_____

2. tú / ir a México este verano / correo urgente

Irás a México este verano. Mandarás las noticias por correo urgente.

_____

3. yo / ser guía en el museo / vía aérea

Seré guía en el museo. Mandaré las noticias por vía aérea.

_____

4. Marcos y yo / correr en un maratón / telegrama

Marcos y yo correremos en un maratón. Mandaremos las noticias por telegrama.

_____

E Los amigos de Marta son muy desordenados. Por eso ella les ayuda a ordenar sus actividades. Escribe lo que tendrán que hacer según los consejos de Marta. Sigue el modelo.

Luis / tener que estudiar / poder ir al cine

Primero Luis tendrá que estudiar y luego podrá ir al cine.

1. Nilda / hacer la tarea / haber tiempo para jugar

Primero Nilda hará la tarea y luego habrá tiempo para jugar.

_____

2. Iris y Rosa / poner la mesa / poder sentarse a comer

Primero Iris y Rosa pondrán la mesa y luego podrán sentarse a comer.

_____

3. tú / decir a tu papá tus planes / venir al gimnasio

Primero le dirás a tu papá tus planes y luego vendrás al gimnasio.

_____

4. nosotros / salir para ir a la tienda / hacer las compras

Primero saldremos para ir a la tienda y luego haremos las compras.

F Luisa le está hablando a su abuela por teléfono, pero su abuela no entiende lo que Luisa dice la primera vez. Cuando se lo dice la segunda vez, Luisa no quiere repetir toda la oración. Ayúdala con la segunda oración. Sigue el modelo.

Te mandé una carta ayer.

Te la mandé ayer.

1. Le leí un cuento a Roberto anoche.

Se lo leí anoche.

2. Mi profesora de ciencias me dará una buena nota mañana.

Mi profesora de ciencias me la dará mañana.

3. Mamá nos regaló un teléfono inalámbrico a Roberto y a mí la semana pasada.

Mamá nos lo regaló la semana pasada.

4. Les envié tarjetas postales a mis primos el viernes pasado.

Se las envié el viernes pasado.

5. Mañana le enviaré una carta a tía Meche.

Mañana se la enviaré.

6. Clara y Jorge quieren darte una sorpresa por tu cumpleaños.

Clara y Jorge quieren dártela por tu cumpleaños.

7. Luisito les dirá a mamá y papá la verdad hoy.

Luisito se la dirá hoy.

8. Adiós, abuelita. Tengo que colgarte el teléfono.

Adiós, abuelita. Tengo que colgártelo.

CAPÍTULO 6

G Un amigo tuyo se mudó a otro estado y hace varios meses que no recibes noticias de él. Escríbele una carta y explícale lo que ha pasado en tu vida desde la última vez que lo viste.

Empieza tu carta con un saludo. Dile cómo estás y pregúntale cómo está él. Explícale cómo van tus clases y tus actividades en la escuela. ¿Qué hay de nuevo? Háblale de otros medios de comunicación que Uds. pueden usar para comunicarse. ¿Tienes una computadora para mandar correo electrónico? ¿Puedes enviarle noticias por fax? ¿Tienes un contestador automático si él te llama cuando no estás? Ahora, dile tus planes para el próximo verano. ¿Irás a un lugar especial? ¿Podrás ir a visitarlo o podrá él visitarte a ti? ¿Qué harás durante el verano? Finalmente, termina tu carta con una despedida. ¡Te olvidaste de decirle algo importante (tu dirección de correo electrónico, por ejemplo)! Añade una posdata.

Ahora, escribe tu carta. Cuando termines, revísala. ¿Has escrito correctamente todas las palabras? ¿Has puesto los acentos donde son necesarios? ¿Has escrito las terminaciones de los verbos correctamente? ¿Usaste diferentes tiempos verbales?

_____:

El contenido de las cartas variará.

_____

_____

_____

_____

_____

_____

_____

_____

_____

_____

_____

_____

_____

_____

                                        _____

                                        _____

P.D. _____

_____

H Cuando volviste a casa hoy, había un recado de tu amigo en el contestador automático. Él quiere que lo llames en seguida porque tiene muchas cosas que contarte. Te pide que lo llames a cobro revertido. Fíjate en las instrucciones de la guía telefónica y síguelas.

> ## Asistencia con llamadas de larga distancia
>
> *Para hacer una llamada directa:*
> - Marque **1** + el prefijo + el número de teléfono
>
> *Para hacer una llamada a cobro revertido:*
> - Marque **0** + el prefijo + el número de teléfono
>
> *El operador le preguntará la información necesaria.*

Ahora, escribe la conversación que tienes con el operador.

TÚ: *Las conversaciones variarán.* _____

EL OPERADOR: _____

TÚ: _____

EL OPERADOR: _____

TÚ: _____

EL OPERADOR: _____

TÚ: _____

EL OPERADOR: _____

TÚ: _____

EL OPERADOR: _____

TÚ: _____

EL OPERADOR: _____

TÚ: _____

EL OPERADOR: _____

Nombre

CAPÍTULO 7

Fecha

A ¿Qué tipo de trabajo voluntario hacen tú y tus amigos en la comunidad? Si no hacen nada ahora, ¿qué oportunidades hay en su comunidad para hacer trabajo comunitario? Explícalo aquí con oraciones completas. Sigue los modelos.

Mi amigo Tomás sirve comida en un comedor de beneficencia.

En mi comunidad hay un centro recreativo donde puedo ayudar a los niños con su tarea.

1. *Las oraciones variarán.* _____

_____

2. _____

_____

3. _____

_____

4. _____

_____

5. _____

_____

B Escribe tres ejemplos de protestas o manifestaciones en la historia de Estados Unidos. Además, explica a favor de qué causa o en contra de cuál protestaron esas personas. Sigue el modelo.

Martin Luther King y sus seguidores se unieron para hacer una marcha en Washington, D.C.

Ellos protestaron a favor de la igualdad para todas las personas.

1. *Las oraciones variarán.* _____

_____

2. _____

_____

3. _____

_____

CAPÍTULO 7

C En esta sopa de palabras, hay quince palabras o términos que tienen que ver con la política. ¡Búscalas horizontal, vertical y diagonalmente!

manifestación	ciudadanía	gobernar	elección	votar
campaña	candidata	protestar	gobierno	causa
partido	candidato	prometer	marcha	leyes

```
S  P  A  R  T  I  D  O  U  M  L  I  T  I  Ñ  O
O  A  B  P  R  O  T  E  S  T  A  R  T  O  T  P
R  A  S  B  N  I  N  A  M  V  E  D  E  Q  U  O
C  C  B  L  I  U  N  L  E  A  O  C  Z  O  R  M
C  A  M  P  A  Ñ  A  E  L  B  C  T  R  R  A  L
I  N  U  B  N  T  I  Y  M  B  P  I  A  C  Y  P
C  D  A  S  V  X  Y  E  B  E  A  L  U  R  O  R
V  I  B  E  A  V  H  S  G  O  B  I  E  R  N  O
E  D  H  E  C  Y  S  R  P  O  N  Q  I  Y  C  M
C  A  N  D  I  D  A  T  O  D  B  Z  M  U  J  E
A  T  P  R  R  S  A  E  C  N  I  E  T  I  R  T
M  A  R  C  H  A  T  T  C  E  D  Y  R  Ñ  C  E
B  T  Y  E  D  S  E  L  E  C  C  I  O  N  R  R
O  C  I  U  D  A  D  A  N  I  A  M  S  O  A  P
S  A  M  A  N  I  F  E  S  T  A  C  I  O  N  R
```

D Antes de salir de la casa, el señor Ocampo les da instrucciones a sus hijos. Escribe lo que él quiere que hagan. Sigue el modelo.

Geraldo /   *Quiero que Geraldo pase la aspiradora.*

1. Uds. /

Quiero que Uds. sacudan los muebles.

2. Adelita /

Quiero que Adelita lave los platos.

3. tú /

Quiero que te cepilles los dientes.

4. Paco y Celia /

Quiero que Paco y Celia saquen la basura.

El señor Ocampo también les dice a sus hijos otras cosas que no tienen que ver con los quehaceres. Ahora, escribe lo que espera el señor Ocampo. Sigue el modelo.

Geraldo / sacar buenas notas en los exámenes hoy

Espero que Geraldo saque buenas notas en los exámenes hoy.

5. Uds. / no perder el campeonato mañana

Espero que Uds. no pierdan el campeonato mañana.

6. Adelita / jugar tenis con sus amigas esta tarde

Espero que Adelita juegue tenis con sus amigas esta tarde.

7. tú / escribir la composición en seguida

Espero que escribas la composición en seguida.

8. Paco y Celia / acostarse antes de las diez esta noche

Espero que Paco y Celia se acuesten antes de las diez esta noche.

E Basándote en los dibujos, escribe si es importante, mejor o necesario que hagamos cada actividad. Sigue el modelo.

/ **en contra de leyes injustas**   *Es importante que protestemos en contra de leyes injustas.*

Las oraciones pueden variar.

1. / **en todas las elecciones**

Es importante que votemos en todas las elecciones. _____

2. / **para la Cruz Roja**

Es necesario que juntemos fondos para la Cruz Roja. _____

3. / **para proteger el medio ambiente**

Es mejor que montemos en bicicleta para proteger el medio ambiente. _____

F Algunos de tus compañeros diseñaron carteles para anunciar los servicios sociales que hay en la comunidad. Tú quieres cambiar las oraciones para poner énfasis en el trabajo, en vez de en la persona que lo hizo. Cambia cada oración según el modelo.

Unos estudiantes sirvieron comida en el comedor de beneficencia.

La comida fue servida en el comedor de beneficencia por unos estudiantes.

1. Cinco jóvenes solicitaron dinero para los pobres.

El dinero para los pobres fue solicitado por cinco jóvenes. _____

2. Otros estudiantes juntaron mil dólares.

Mil dólares fueron juntados por otros estudiantes. _____

3. Tres estudiantes visitaron a los ancianos.

Los ancianos fueron visitados por tres estudiantes. _____

4. Muchos estudiantes pintaron una casa.

Una casa fue pintada por muchos estudiantes. _____

5. El club de español donó una computadora.

Una computadora fue donada por el club de español. _____

Nombre

CAPÍTULO 7

Fecha

G Los directores de tu escuela quieren incluir un nuevo requisito para graduarse: el servicio social. Por eso, el periódico escolar va a dedicar la próxima edición a ese tema. Te han pedido que escribas un comentario a favor o en contra del servicio social obligatorio. Decide cuál quieres hacer y haz una lista de las razones que quieres incluir en tu comentario.

Después, organiza tus ideas de manera que tu argumento sea lo más fuerte y persuasivo posible. También incluye ejemplos específicos para apoyar tus ideas. Debes empezar tu comentario con una introducción a tu punto de vista y terminarlo con una conclusión que ponga énfasis en los puntos más importantes.

Ahora, escribe tu comentario. Cuando termines, revísalo. ¿Has escrito correctamente todas las palabras? ¿Has puesto los acentos donde son necesarios? ¿Has usado el indicativo y el subjuntivo correctamente?

Los comentarios variarán.

_____

_____

_____

_____

_____

_____

_____

_____

_____

_____

_____

_____

_____

_____

_____

_____

Nombre _____

CAPÍTULO 7

Fecha _____

H Tú y varios amigos quieren ayudar al centro comunitario. El grupo te ha elegido a ti para que hables con la señorita Gutiérrez. Escribe la conversación entre ustedes.

Sin tu ayuda, vamos a tener que cerrar nuestras puertas a los necesitados.
Sin tu ayuda, no podremos seguir ofreciendo ayuda a la gente sin hogar.

Pedimos a todos los miembros de nuestra comunidad que nos ayuden a mantener nuestros servicios sociales. Somos una organización sin fines de lucro y hace diez años que ayudamos a la gente sin hogar. Pero ahora no tenemos fondos para seguir ayudándolos. Tampoco tenemos suficiente ropa, comida, sacos de dormir ni medicinas.

Sobre todo, necesitamos más voluntarios.

Si puedes ayudarnos con donaciones de dinero o de otras cosas útiles o si puedes trabajar como voluntario(a), por favor llama a la Srta. Gutiérrez al 31-00-11.
Escríbenos al Centro Comunitario de Servicio Voluntario, Calle Robles 444.

TÚ: _____*Los diálogos variarán.*_____

SRTA. GUTIÉRREZ: _____

TÚ: _____

SRTA. GUTIÉRREZ: _____

TÚ: _____

SRTA. GUTIÉRREZ: _____

TÚ: _____

SRTA. GUTIÉRREZ: _____

TÚ: _____

SRTA. GUTIÉRREZ: _____

CAPÍTULO 8

Fecha _____

A Fíjate en los muebles y objetos que hay en tu dormitorio o en tu casa o apartamento. Escoge cuatro y mídelos. Escribe cuánto miden de ancho, de alto, de largo o de diámetro. Sigue el modelo.

Mi cama mide seiscientos centímetros de alto, dos metros de largo y un metro de ancho.

1. *Las oraciones variarán.* _____

_____

2. _____

_____

3. _____

_____

4. _____

_____

B Lee estas oraciones incompletas y mira las letras revueltas que les siguen. Luego, escribe la palabra o las palabras que faltan en el espacio en blanco.

1. Algo que no se puede explicar es i n e x p l i c a b l e .

eclliinepxba

2. Algo que es muy raro es e x t r a ñ o .

ñxteoar

3. Algo que es grandísimo es g i g a n t e s c o o también puede

ser e n o r m e .

nsgoagitec / mronee

4. Un huevo tiene una forma o v a l a d a .

aadlova

5. Un coche tiene cuatro r u e d a s .

sdeura

6. Un animal al que le gusta colgar de los árboles de la selva es un m o n o .

oonm

7. Las personas que viven en un lugar son los h a b i t a n t e s .

tatshienba

CAPÍTULO 8

8. Se usa una regla para <u>m</u> <u>e</u> <u>d</u> <u>i</u> <u>r</u> .

remid

9. Una línea que pasa por el centro de un círculo es su <u>d</u> <u>i</u> <u>á</u> <u>m</u> <u>e</u> <u>t</u> <u>r</u> <u>o</u> .

árimoetd

10. Los astronautas van a la Luna en una <u>n</u> <u>a</u> <u>v</u> <u>e</u>
<u>e</u> <u>s</u> <u>p</u> <u>a</u> <u>c</u> <u>i</u> <u>a</u> <u>l</u> .

vane apsalice

C Escoge uno de los fenómenos que se describen en este capítulo o uno que tú conoces. ¿Cómo es? ¿Por qué es un fenómeno? Descríbelo y luego explica tu teoría de este fenómeno. ¿Cómo puedes explicar el misterio? ¿Qué evidencia tienes para llegar a tu afirmación?

Las descripciones variarán.

_____

_____

_____

_____

_____

_____

_____

_____

_____

_____

_____

_____

D Vamos a suponer que vives en el siglo XIX. Un amigo te ha escrito una carta contándote un sueño extraño que tuvo sobre el futuro. Escribe tu reacción a cada afirmación que hace tu amigo. Sigue el modelo.

La gente va a volar en el aire. / Ser improbable que

Es improbable que la gente vuele en el aire.

1. Las mujeres van a votar en las elecciones. / No creer que

No creo que las mujeres voten en las elecciones.

2. Las familias van a viajar por tierra sin caballos. / No ser cierto que

No es cierto que las familias viajen por tierra sin caballos.

3. La gente va a comunicarse por máquinas. / No estar seguro(a) de que

No estoy seguro(a) de que la gente se comunique por máquinas.

4. Las personas van a descubrir otros planetas. / Ser imposible que

Es imposible que las personas descubran otros planetas.

5. La gente va a tener máquinas automáticas para escribir. / Ser increíble que

Es increíble que la gente tenga máquinas automáticas para escribir.

E A la niña traviesa que cuidas todas las tardes le gusta decir cosas que no son la verdad. Cada vez que ella te diga algo, dile que lo dudas o que no lo crees. Sigue el modelo.

Marta duerme en un saco de dormir en la cocina.

No creo que Marta duerma en un saco de dormir en la cocina.

1. Tú y yo vamos al Caribe mañana.

Dudo (No creo) que tú y yo vayamos al Caribe mañana.

2. Tomás es un extraterrestre.

No creo (Dudo) que Tomás sea un extraterrestre.

3. Mis osos de peluche miden tres metros de alto.

Dudo (No creo) que tus osos de peluche midan tres metros de alto.

4. Yo nunca miento.

No creo (Dudo) que tú nunca mientas.

5. No hay clases mañana.

Dudo (No creo) que no haya clases mañana.

F Antes de salir para ir a trabajar, la señora Rodríguez dejó una lista de quehaceres para sus hijos. Ahora, mientras ella vuelve a casa, está pensando en la lista y espera que todos hayan hecho los quehaceres aunque tiene algunas dudas. Mira la lista y escribe lo que está pensando la señora Rodríguez. Sigue el modelo, pero puedes usar otras expresiones de duda.

Espero que María haya lavado la ropa, pero dudo que lo haya hecho temprano.

Quehaceres para hoy

María: lavar la ropa / temprano

Tomás: poner la mesa / a las cinco

tú: sacudir los muebles / por la mañana

Carlos y Hugo: mover el sofá / antes de comer

Ricardo: hervir las papas / para la cena

Luis: mezclar la ensalada / con el aceite y el vinagre

1. *Espero que Tomás haya puesto la mesa, pero es posible que no lo haya hecho a las cinco.*

2. *Espero que tú hayas sacudido los muebles, pero no creo que lo hayas hecho por la mañana.*

3. *Espero que Carlos y Hugo hayan movido el sofá, pero dudo que lo hayan hecho antes de comer.*

4. *Espero que Ricardo haya hervido las papas, pero no creo que lo haya hecho para la cena.*

5. *Espero que Luis haya mezclado la ensalada, pero no creo que lo haya hecho con el aceite y el vinagre.*

Nombre _____

Fecha _____

G Imagina que has hecho un viaje a un lugar del mundo donde han descubierto un fenómeno inexplicable. Estás en ese lugar ahora y te impresiona mucho lo que ves. Escríbele una carta a un(a) amigo(a) tuyo(a) donde describas todo.

Primero, empieza tu carta con un saludo apropiado y luego dile dónde estás. Describe el fenómeno con detalles. ¿Cómo es? ¿Cuánto mide o pesa? ¿Cuánto tiempo hace que está en ese lugar? También, describe las teorías que existen para explicarlo. ¿Estás de acuerdo con las teorías? ¿Dudas que sean ciertas? Si no crees que las teorías sean ciertas, ¿qué otra teoría tienes para explicar el fenómeno? Termina tu carta con una despedida. ¡No te olvides de decirle cuándo volverás a casa!

Ahora, escribe tu carta. Cuando termines, revísala. ¿Has escrito correctamente todas las palabras? ¿Has puesto los acentos donde son necesarios? ¿Has usado el indicativo y el subjuntivo correctamente? ¿Usaste los diferentes tiempos del subjuntivo?

_____ :

El contenido de las cartas variará.

_____

_____

_____

_____

_____

_____

_____

_____

_____

_____

_____

_____

_____

                                        _____

                                        _____

H Afuera está lloviendo y tú y tu amigo(a) están aburridos. Para divertirse, deciden leer un periódico lleno de fenómenos inexplicables. Mientras leen los titulares, hablan de los fenómenos. Escribe un posible diálogo entre tu amigo(a) y tú.

¡Hay testigos! "Vimos al Yeti esquiando en los Andes. ¡Es enorme!"

¡Nace un mono con tres cabezas!

Hace un mes pesaba 200 libras.
Hoy peso 115 libras.
Extraterrestres de Marte me ayudaron a bajar de peso.

Muchacha argentina ha movido 2 toneladas de basura con la mente

Según datos secretos, los dinosaurios todavía existen

TU AMIGO(A): *Los diálogos variarán.*

TÚ: _____

TU AMIGO(A): _____

TÚ: _____

TU AMIGO(A): _____

TÚ: _____

TU AMIGO(A): _____

TÚ: _____

TU AMIGO(A): _____

TÚ: _____

A A todos los estudiantes que irán a la Feria del Trabajo se les dará una descripción de varios trabajos. Mira los dibujos y escribe una breve descripción de cada trabajo. Sigue el modelo.

Un recepcionista trabaja en una oficina y contesta las llamadas telefónicas de los clientes.

1.

Las descripciones variarán. _____

_____

2.

_____

_____

3.

_____

_____

4.

_____

_____

5.

_____

_____

CAPÍTULO 9

Fecha

B Cuando se empieza a trabajar desde joven, se aprende a hacer muchas cosas y se desarrollan destrezas útiles. Haz una lista de tres trabajos que has tenido o que tienes ahora y descríbelos. Si nunca has trabajado, escoge tres trabajos e imagina las destrezas y características necesarias. Sigue el modelo.

Cocinero en un restaurante: *Aprendí a usar los aparatos de la cocina y a preparar varios tipos de comida. Tenía que ser muy puntual y limpio.*

1. *Las descripciones variarán.* _____

_____

2. _____

_____

3. _____

_____

C Descubre las características necesarias en el mundo del trabajo. Escribe las letras revueltas en el orden correcto y forma palabras. Después, haz lo mismo con las letras encerradas en los círculos y contesta la pregunta al final.

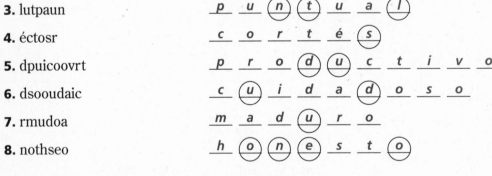

1. sputoeoers   r (e) s p (e) t u o s o

2. micosiboa   (a) (m) b i c i o s o

3. lutpaun   p u (n) (t) u a (l)

4. éctosr   c o r t é (s)

5. dpuicoovrt   p r o (d) (u) c t i v o

6. dsooudaic   c (u) i d a (d) o s o

7. rmudoa   m a d (u) r o

8. nothseo   h (o) (n) e s t (o)

¿Qué recibirás si tienes todas estas cualidades?

¡U n   a u m e n t o   d e   s u e l d o!

D Esta noche la reunión de los miembros de una organización de voluntarios va a ser en tu casa. Algunos han venido temprano para ayudarte con los preparativos. Según los nombres y las frases que te damos, escribe oraciones de lo que quieres que haga y que no haga cada uno. Sigue el modelo.

Dolores / sacar las fotocopias / no distribuirlas

Dolores, saca las fotocopias, pero no las distribuyas todavía.

1. Marcos / llamar al restaurante / no pedir refrescos

Marcos, llama al restaurante, pero no pidas refrescos todavía.

2. Lourdes / arreglar los asientos / no ponerlos en la sala

Lourdes, arregla los asientos, pero no los pongas en la sala todavía.

3. Roberto / preparar los bocadillos / no traerlos a la mesa

Roberto, prepara los bocadillos, pero no los traigas a la mesa todavía.

4. Juanito / encender las luces / no abrir las ventanas

Juanito, enciende las luces, pero no abras las ventanas todavía.

5. Timoteo / ir a la tienda / no comprar las carpetas rojas

Timoteo, ve a la tienda, pero no compres las carpetas rojas todavía.

E Estás ayudando a tu hermano mayor a buscar un apartamento, pero él tiene unos requisitos muy específicos. Piensa en lo que creas que él quiere en su apartamento y descríbelo con oraciones completas. Sigue el modelo.

Mi hermano busca un apartamento que tenga un balcón muy grande.

1. *Las oraciones variarán.* _____

2. _____

3. _____

Después de buscar por varios días, no han encontrado todo lo que buscaba tu hermano. Escribe oraciones completas para explicar lo que no han encontrado. Sigue el modelo.

No hay ningún apartamento que tenga un balcón muy grande.

1. *Las oraciones variarán.* _____

2. _____

3. _____

F Estos jóvenes piensan buscar trabajo, pero primero deben ocurrir otras cosas. Escribe una oración para describir la situación de cada persona. Sigue el modelo.

Margarita / terminar las clases

Margarita buscará trabajo cuando terminen las clases.

1. Antonio / tener un coche

Antonio buscará trabajo cuando tenga un coche.

_____

2. yo / comprar un traje nuevo

Buscaré trabajo cuando compre un traje nuevo.

_____

3. Pablo / sus padres se lo permitir

Pablo buscará trabajo cuando sus padres se lo permitan.

_____

4. Anita / llegar la primavera

Anita buscará trabajo cuando llegue la primavera.

_____

5. Eladio y Manuel / saber usar la computadora

Eladio y Manuel buscarán trabajo cuando sepan usar la computadora.

_____

6. nosotros / tener cartas de recomendación

Nosotros buscaremos trabajo cuando tengamos cartas de recomendación.

_____

7. ellos / ser demasiado tarde

Ellos buscarán trabajo cuando sea demasiado tarde.

_____

Nombre

CAPÍTULO 9

Fecha

G Has encontrado el trabajo de verano perfecto en los anuncios clasificados: repartidor(a) para una tienda de deportes. Ahora tienes que escribir una carta a la gerente, la señora Beatriz Gosálbez, para pedirle el trabajo. Acuérdate de que ésta es una carta formal y de que quieres causarle buena impresión a la señora Gosálbez.

Empieza tu carta con un saludo y después preséntate a la gerente. Después dile por qué escribes y explícale por qué eres el(la) mejor candidato(a) para el trabajo. Menciona tus características personales y también las habilidades que tienes. ¿Has tenido experiencias que te ayudarán en tu trabajo? ¿Aprendiste ciertas destrezas en otros trabajos? Antes de terminar tu carta, incluye tu número de teléfono para que ella te pueda llamar y hacerte una entrevista. No te olvides de darle las gracias por haber leído tu carta.

Ahora, escribe tu carta. Cuando termines, revísala. ¿Has escrito correctamente todas las palabras? ¿Has puesto los acentos donde son necesarios? ¿Has usado el indicativo y el subjuntivo correctamente? ¿Usaste los diferentes tiempos del subjuntivo? ¡Nunca mandes una carta formal con errores de ortografía!

_____:

El contenido de las cartas variará.

_____

_____

_____

_____

_____

_____

_____

_____

_____

_____

_____

_____

_____

_____

_____

H Lee los siguientes anuncios clasificados y escoge el trabajo que prefieras. Después, escribe la conversación que vas a tener con el(la) jefe(a).

RECEPCIONISTA

Buscamos recepcionista que sea bilingüe y hable inglés y español perfectamente. Es preferible que sepa usar una computadora y que sea cortés. Horario flexible de tiempo parcial. Llame inmediatamente al 73-95-64.

SE BUSCA SALVAVIDAS PARA PISCINA PÚBLICA

Es necesario que sepa nadar muy bien, que sea deportista y esté en buenas condiciones físicas. También es importante que sea puntual y muy responsable. Llame al número 87-53-65.

EL(LA) JEFE(A): *Los diálogos variarán.* _____

TÚ: _____

EL(LA) JEFE(A): _____

TÚ: _____

EL(LA) JEFE(A): _____

TÚ: _____

EL(LA) JEFE(A): _____

TÚ: _____

EL(LA) JEFE(A): _____

TÚ: _____

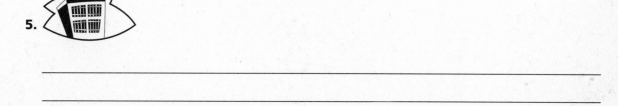

A Ayer estuviste en el lugar de los hechos de un crimen y eres el(la) único(a) testigo. Basándote en los dibujos y tu imaginación, describe lo que ocurrió. Sigue el modelo.

El ladrón secuestró a tres personas. Los rehenes tenían miedo.

1.

Las oraciones variarán.

_____

_____

2.

_____

_____

3.

_____

_____

4.

_____

_____

5.

_____

_____

B Lee cada una de las siguientes opiniones y luego escribe la tuya propia. ¿Estás de acuerdo o no? ¿Por qué? Escribe oraciones explicando tu opinión con detalles lógicos.

1. Se debe prohibir la violencia en la televisión, las películas, la música y los videojuegos.

Las oraciones variarán. _____

_____

2. Imponer penas cada vez más severas es la única manera de acabar con los crímenes.

_____

_____

3. No se puede hacer nada para evitar la violencia en las escuelas.

_____

_____

4. El narcotráfico no hace tanto daño a los jóvenes como dicen las noticias.

_____

_____

5. Es necesario que toda la gente sepa defenderse aunque tenga que arriesgar su vida.

_____

_____

6. Volver a los valores tradicionales es dar un paso hacia atrás.

_____

_____

CAPÍTULO 10   Fecha

C Lee las pistas y después completa el crucigrama con las palabras correspondientes.

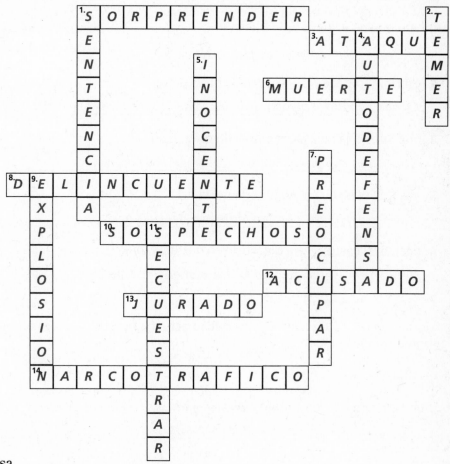

HORIZONTALES

1. Causar una sorpresa

3. Un _____ a mano armada

6. La vida o la _____

8. Persona que no obedece las reglas de la sociedad

10. Es posible que esta persona tenga la culpa del crimen

12. A esta persona la van a castigar o poner en libertad

13. Doce personas que deciden si alguien es culpable o no

14. El transporte de drogas de un lugar a otro

VERTICALES

1. Lo que el juez le da a una persona culpable

2. Tener miedo

4. El acto de defenderse contra un ataque

5. Culpable o _____

7. Hacer que alguien tenga miedo o dudas

9. Un fuego grande con mucho ruido

11. Lo que se ha hecho a un rehén

D Los jueces siempre le dan muchos consejos al jurado. Imagínate que eres un(a) juez. Escribe consejos apropiados con los siguientes verbos. Sigue el modelo.

escuchar a los testigos / no hablarse

Escuchen a los testigos, pero no se hablen.

Las respuestas variarán. Las siguientes son respuestas posibles.

1. escribir apuntes / no leer los de otras personas

Escriban apuntes, pero no lean los (apuntes) de otras personas.

2. obedecer a la policía / no hacerle preguntas

Obedezcan a la policía, pero no le hagan preguntas.

3. mirar la evidencia / no sacarla del cuarto

Miren la evidencia, pero no la saquen del cuarto.

4. decidir el castigo / no discutirlo en voz muy alta

Decidan el castigo, pero no lo discutan en voz muy alta.

E Hay muchas inseguridades en la sociedad actual. Completa las siguientes frases de una manera original. Sigue el modelo.

Me molesta que

Me molesta que haya tanta violencia en la escuela.

1. Me sorprende que *Las oraciones variarán.*

2. Temo que

3. Siento que

4. Me preocupa que

5. Me alegro de que

Nombre

CAPÍTULO 10
Fecha

F Eres periodista del periódico escolar. Tienes que escribir un artículo sobre un acto de violencia que ocurrió recientemente en tu escuela, tu comunidad o tu ciudad. Si no ha ocurrido ninguno, inventa algo.

Primero, describe exactamente lo que ocurrió. ¿Cuándo? ¿Cómo? Usa el imperfecto cuando describas algo o a alguien, o cuando digas lo que pasaba cuando el crimen ocurrió. ¿Hubo testigos? ¿Qué dicen ellos de lo que vieron? ¿Saben los investigadores por qué ocurrió? ¿Qué evidencia tienen?

Luego, habla de las razones generales que causan violencia en la sociedad. También habla de posibles soluciones a esos problemas. ¿Qué pueden hacer tú y los otros estudiantes para acabar con la violencia? Si ya están haciendo algo, descríbelo.

Ahora, escribe el artículo. Cuando termines, revísalo. ¿Has escrito correctamente todas las palabras? ¿Has puesto los acentos donde son necesarios? ¿Has usado el indicativo y el subjuntivo correctamente? ¿Usaste los diferentes tiempos del subjuntivo? No te olvides de ponerle un título al artículo.

Los artículos variarán.

CAPÍTULO 10

G Alguien trató de matar al príncipe de Ricolandia. Afortunadamente, el príncipe solamente fue levemente herido. Tú eres el(la) detective principal del caso. Lee la información sobre el atentado.

Situación: Anoche hubo un gran baile en el Palacio Nacional de Ricolandia para celebrar el cumpleaños del príncipe. Había aproximadamente cien personas en el Gran Salón de Baile. A las 10:45 de la noche, mientras los invitados estaban bailando o comiendo, ocurrió un tiroteo. El príncipe cayó herido. Los guardias buscaron por todas partes, pero no encontraron el arma (o las armas). Nadie vio a la persona responsable del atentado.

Sospechosos

A General Poderos — líder del ejército
- Tenía un revólver en el cinturón.
- Quería ser líder de Ricolandia.
- Dice que estaba en el balcón cuando ocurrió el atentado. No hay testigos.

B Estrella Vanided — actriz de cine
- Llevaba una bolsa grande.
- Estaba enamorada del príncipe, pero el príncipe se quiere casar con otra.
- Dice que estaba en el baño de las mujeres peinándose cuando ocurrió el atentado. No hay testigos.

C Rafael Rebeldó — estudiante universitario
- Llevaba una mochila.
- Estaba en contra del gobierno, pero no tiene historial de actos violentos.
- Dice que estaba comiendo paella cuando ocurrió el atentado. Hay dos testigos.

D Fidelia Fieli — secretaria del príncipe
- Llevaba una chaqueta con bolsillos grandes.
- Había dicho a su familia que el príncipe estaba enamorado de ella.
- Dice que estaba tomando agua en el comedor cuando ocurrió el atentado. No hay testigos.

El lugar de los hechos

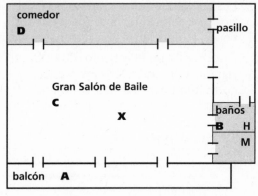

X Príncipe Luis Felipe — la víctima

¿Con quién(es) quieres hablar más? ¿Por qué?

Las respuestas variarán.

_____

_____

_____

_____

_____

¿Quiénes son los sospechosos principales? ¿Por qué?

Las respuestas variarán.

_____

_____

_____

_____

¿Qué necesitas hacer para resolver el crimen?

Las respuestas variarán.

_____

_____

A Lee las pistas y escribe la palabra correspondiente en la línea.

1. Donde los musulmanes se protegían de sus enemigos
un alcázar

2. Escultura de piedra por la cual corre el agua
una fuente

3. Lugar donde los judíos practican su religión
una sinagoga

4. Lugar donde los musulmanes practican su religión
una mezquita

5. Parte de arriba de todos los edificios
el techo

6. Muchos de los baños y las cocinas los tienen en las paredes
los azulejos

7. Las hay en muchas tiendas de algunas ciudades como protección contra los ladrones
las rejas

8. Las personas que hablan español
los hispanohablantes

9. Una forma de literatura
la poesía

10. Este hombre y esta mujer no fueron elegidos, pero gobernaban el país
el rey y la reina
(los reyes)

B Imagínate que acabas de visitar la ciudad de Toledo, España, donde se puede encontrar ejemplos de tres culturas diferentes: la judía, la cristiana y la musulmana. Mira cada dibujo y usa tu imaginación y tus conocimientos para describir lo que viste. Incluye información sobre la arquitectura, la historia o la cultura. Sigue el modelo.

En las sinagogas el pueblo judío realiza sus prácticas religiosas.

1. *Las oraciones variarán.* _____

_____

2. _____

_____

3. _____

_____

4. _____

_____

C Para cada tema a continuación, escribe una oración que describa un resultado directo o indirecto de la conquista española de lo que actualmente es Hispanoamérica. Sigue el modelo.

la lengua española: *La lengua española cambió cuando se adoptaron palabras de las varias lenguas indígenas.*

1. los productos indígenas: *Las oraciones variarán.* _____

_____

2. los esclavos africanos: _____

_____

3. la música caribeña: _____

_____

4. las prácticas religiosas: _____

_____

5. la fusión de culturas: _____

_____

D

La familia Acevedo acaba de volver a su casa de una visita al médico. Escribe lo que el médico recomendó que hicieran los miembros de la familia. Sigue el modelo.

todos / tomar vitaminas

El médico recomendó que todos tomaran vitaminas.

1. Luis Felipe / dormir ocho horas cada noche

El médico recomendó que Luis Felipe durmiera ocho horas cada noche.

2. los niños / beber mucha agua

El médico recomendó que los niños bebieran mucha agua.

3. Estela / no comer tantos dulces

El médico recomendó que Estela no comiera tantos dulces.

4. los padres / evitar las comidas con mucha grasa

El médico recomendó que los padres evitaran las comidas con mucha grasa.

5. Sra. Acevedo / servir pollo en vez de carne

El médico recomendó que la señora Acevedo sirviera pollo en vez de carne.

E Cuando los hijos de la señora Durán volvieron a casa, ella quería que hicieran varias cosas. Primero, lee la lista y luego escribe oraciones según el modelo.

Isabel / estar en casa a las tres

Su mamá quería que Isabel estuviera en casa a las tres.

1. Jorge / traer a su hermanito a casa

Su mamá quería que Jorge trajera a su hermanito a casa.

2. Carolina y Hugo / ir al supermercado

Su mamá quería que Carolina y Hugo fueran al supermercado.

3. tú y yo / poner la mesa

Su mamá quería que tú y yo pusiéramos la mesa.

4. todos los niños / hacer la tarea

Su mamá quería que todos los niños hicieran la tarea.

5. Sarita / ser amable con sus amigos

Su mamá quería que Sarita fuera amable con sus amigos.

F A través de los años, ciertas cosas no han cambiado en la escuela. Lee las oraciones que indican lo que pasa en el presente y después vuelve a escribir cada una para indicar lo que ha ocurrido muchas veces en el pasado. Sigue el modelo.

Los profesores hacen preguntas para que los estudiantes piensen.

Los profesores hacían preguntas para que los estudiantes pensaran.

1. El director prohibe correr en los pasillos para que nadie se lastime.

El director prohibía correr en los pasillos para que nadie se lastimara.

2. Los estudiantes levantan las manos para que el profesor los llame.

Los estudiantes levantaban las manos para que el profesor los llamara.

3. Los estudiantes hacen preguntas para que la profesora les explique la lección.

Los estudiantes hacían preguntas para que la profesora les explicara la lección.

4. La bibliotecaria pide silencio para que no haya ruido en la biblioteca.

La bibliotecaria pedía silencio para que no hubiera ruido en la biblioteca.

5. El entrenador explica las reglas para que todos sepan jugar bien.

El entrenador explicaba las reglas para que todos supieran jugar bien.

Nombre _____

CAPÍTULO 11

Fecha _____

G Escoge una ciudad en Europa o Hispanoamérica en la cual haya una mezcla de culturas. Después de hacer tu investigación, vas a escribir un folleto de turismo para indicar los lugares de interés de esa ciudad. Antes de empezar, haz una lista de los lugares de interés de la ciudad que escogiste. Piensa en cómo indican la influencia de diferentes culturas. También, piensa en el diseño de tu folleto. ¿Quieres describir la información en un solo párrafo o en varios párrafos breves? ¿Quieres incluir mapas, dibujos o fotos?

Escribe una breve introducción. Luego, describe dónde se encuentra la ciudad y explica por qué es especial. ¿Cuáles son las diferentes culturas representadas en esa ciudad? Ahora, describe algunos puntos de interés con detalles. Sería una buena idea incluir mapas, fotos o dibujos de esos lugares. Recuerda que es un folleto para turistas.

Ahora, escribe tu folleto. Cuando termines, revísalo. ¿Has escrito correctamente todas las palabras? ¿Has puesto los acentos donde son necesarios? ¿Has usado el imperfecto del subjuntivo correctamente? ¿Usaste correctamente otros tiempos verbales? No te olvides de ponerle un título al folleto.

El contenido de los folletos variará.

_____

_____

_____

_____

_____

_____

_____

_____

_____

_____

_____

_____

_____

_____

_____

_____

_____

_____

H Imagínate que te ha entusiasmado la oportunidad de crear tu propia telenovela y decides participar en este concurso. Sigue las instrucciones del anuncio.

¿Sueñas con crear tu propia telenovela?
¡Participa en el Concurso del Siglo!

Los productores del canal 48 buscan escritores jóvenes y ambiciosos para participar en nuestra nueva telenovela.

Encuentro de diversas culturas

Es necesario que la telenovela tome lugar durante la Edad Media en España o durante la época colonial en las Américas. ¡Decídelo tú! Favor de enviar una lista de los personajes principales y una descripción de sus características. En cinco oraciones, describe un episodio típico.

Envía tus ideas antes del 12 de junio a:
"Encuentro de diversas culturas"
El Concurso del Siglo
Apartado Postal 66189, Bahía Profunda

Las oraciones variarán. _____

_____

_____

_____

_____

_____

_____

_____

_____

CAPÍTULO 12

Fecha

A Completa el crucigrama según las pistas que te damos abajo.

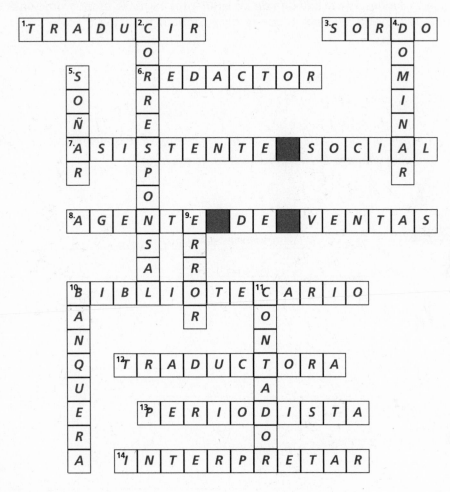

HORIZONTALES

1. Cambiar una frase de una lengua a otra
3. Hombre que no puede oír
6. Hombre que busca errores en un artículo y los corrige
7. Alguien que ayuda a la gente sin hogar, por ejemplo
8. Esta persona te ayuda cuando quieres comprar algo
10. Hombre que trabaja en un lugar donde prestan libros a las personas
12. Mujer que vuelve a escribir un documento en otra lengua
13. Alguien que escribe artículos para una revista o un periódico
14. Decir por señas o lenguaje hablado lo que otra persona ha dicho

VERTICALES

2. Reportero que trabaja en otro país
4. Saber hacer algo muy bien
5. Lo que haces mientras duermes
9. Lo que resulta cuando no tienes razón
10. Mujer que trabaja en un lugar financiero
11. Hombre que se encarga de las cuentas de una compañía

B Uno de los consejeros de tu escuela está redactando una lista de profesiones para los estudiantes. Te ha pedido que lo ayudes. Para cada una de las siguientes carreras, escribe oraciones completas que incluyan una descripción del trabajo que se hace. Sigue el modelo.

El banquero ayuda a la gente a ahorrar y a invertir su dinero. Por ejemplo, da consejos a los padres para que ahorren para la educación futura de sus hijos.

1. _____ *Las oraciones variarán.* _____

_____

2. _____

_____

3. _____

_____

4. _____

_____

5. _____

_____

CAPÍTULO 12

C Hace ya varios años que estudias español y seguramente has pensado en los beneficios que te puede traer dominar otra lengua. Piénsalo bien y después escribe cuatro de los beneficios de estudiar el español. Sigue el modelo.

Cuando viaje a un país donde se habla español, puedo comunicarme con sus habitantes.

1. *Las oraciones variarán.*

2.

3.

4.

D Hoy hay una asamblea general en tu escuela. Tú y tus compañeros están muy aburridos. Mientras el director habla, Uds. están pensando en lo que harían si no estuvieran en la reunión. Escribe oraciones según los dibujos. Sigue el modelo.

Luis /   *Luis dormiría.*

1. Patricia y Elena /   *Patricia y Elena verían (mirarían) la televisión.*

2. Marcos /   *Marcos leería.*

3. yo /   *Yo nadaría.*

4. tú /   *Tú irías de pesca.*

5. nosotros /   *Nosotros jugaríamos vóleibol.*

E Sonia tuvo un problema con sus padres y ahora están enojados con ella. Sonia les pide consejos a sus amigos y ellos le dicen lo que harían en su situación. Escribe oraciones sobre lo que harían los amigos de Sonia. Sigue el modelo.

mantener buenas relaciones   *Yo mantendría buenas relaciones con mis padres.*

1. salir de casa los sábados por la mañana

Yo saldría de casa los sábados por la mañana.

2. decirles la verdad sobre tus problemas

Yo les diría la verdad sobre mis problemas.

3. hacer una excursión a otro planeta

Yo haría una excursión a otro planeta.

4. querer resolver el problema

Yo querría resolver el problema.

5. no saber qué hacer

Yo no sabría qué hacer.

F A veces es divertido pensar en lo que harías si tu situación fuera diferente. Lee los ejemplos y después escribe oraciones que expresen lo que tú harías en cada caso. Sigue el modelo.

ser presidente(a)   *Si yo fuera presidenta, querría que hubiera paz en todo el mundo.*

1. tener mucho dinero

Las oraciones variarán.

2. vivir en la frontera con México

3. dominar tres lenguas

4. poder viajar a cualquier país

CAPÍTULO 12   Fecha

5. seguir una carrera profesional

_____

G Quieres conseguir un trabajo de verano en el Campamento Internacional, al cual asisten muchos niños extranjeros. Escribe una carta a la directora del campamento, la señora Pascual, para pedirle el trabajo.

Empieza tu carta con una introducción formal: dile quién eres y por qué le escribes. Después, describe tus características y la experiencia que tengas con niños y/o con las actividades propias de un campamento. ¿Qué harías si fueras un(a) consejero(a) allí? ¿Cómo contribuiría tu experiencia de otros trabajos a éste? No te olvides de mencionar que sabes hablar español. ¿Cómo lo hablas? ¿Cuánto tiempo hace que lo estudias? ¿Qué más has aprendido de tus estudios? Acuérdate de que quieres convencer a la directora de que tú eres la persona adecuada para el trabajo. ¿La has convencido?

Ahora, escribe tu carta. Cuando termines, revísala. ¿Has escrito correctamente todas las palabras? ¿Has puesto los acentos donde son necesarios? ¿Has usado el indicativo, el subjuntivo y el condicional correctamente? ¿Usaste correctamente los diferentes tiempos del subjuntivo? Recuerda que una carta mal escrita no te va a conseguir un trabajo.

_____ :

El contenido de las cartas variará. _____

_____

_____

_____

_____

_____

_____

_____

_____

_____

_____

                                        _____

                                        _____

H Imagínate que eres Chelo el consejero, el periodista que contesta las cartas de los que piden consejos y se quejan con problemas. Lee estas cartas y escribe una respuesta breve a cada una. ¿Qué harías tú si estuvieras en cada situación?

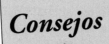

Consejos

**CHELO
EL CONSEJERO**

Querido Chelo:
Mi mejor amiga me está tratando muy mal. Ya no quiere hablar conmigo y siempre dice mentiras de mí a todo el mundo.

Amiga triste

Querido Chelo:
Mis padres no me permiten salir por las noches los días entre semana. Todos mis amigos pueden salir hasta las diez y les parece extraño que yo no salga con ellos.

Solito en casa

Querido Chelo:
Quiero participar en el equipo de béisbol de la escuela, pero no puedo correr muy bien. Ser miembro del equipo es algo muy importante para mí. ¿Cómo puedo hacerlo?

Deportista con esperanzas

_____ :

Los consejos variarán. _____

_____

_____

                                        _____

                                        _____

_____ :

_____

_____

_____

                                        _____

                                        _____

_____ :

_____

_____

_____

                                        _____

                                        _____

FONDO LITERARIO   Fecha

A Después de leer *El valor de las opiniones*, escribe algunas características que describan la personalidad de estos personajes del cuento.

el conde Lucanor   Patronio   el hombre   el hijo

Las características variarán.

_____   _____   _____   _____

_____   _____   _____   _____

_____   _____   _____   _____

_____   _____   _____   _____

Ahora, mencionando detalles del cuento, explica por qué piensas que esas características nos dicen cómo son los diferentes personajes. Escribe oraciones completas.

el conde Lucanor: *Las explicaciones variarán.*

_____

Patronio: _____

_____

el hombre: _____

_____

el hijo: _____

_____

¿Les pides consejos a tus amigos a menudo? ¿Sigues siempre los consejos que te dan?
Las respuestas variarán.

_____

¿Es buena idea hacer caso siempre a lo que dicen los demás?

_____

_____

¿Cuál es la lección que nos enseña el cuento?

_____

_____

_____

_____

FONDO LITERARIO   Fecha

B Contesta con oraciones completas las siguientes preguntas basadas en el cuento *El vendedor de globos.*

1. ¿Qué es Tapatán: una ciudad, un barrio o un pueblo? Describe cómo es la vida en ese lugar.

   Las respuestas variarán.

   _____

   _____

2. ¿A qué se dedican los diferentes habitantes de Tapatán?

   _____

   _____

3. ¿Te parece que la vida en Tapatán es animada, peligrosa, aburrida o sana? Explica tu respuesta con detalles.

   _____

   _____

   _____

   _____

4. ¿Qué ocurría todos los domingos en la plaza? ¿Qué hacían los niños con los globos?

   _____

   _____

   _____

5. ¿Cómo era don Nacho con los niños que le compraban globos? ¿Qué pensaba él?

   _____

   _____

   _____

FONDO LITERARIO   Fecha

C ¿Conoces tú otros tipos de arte tradicional, además de los que se mencionan en la lectura? En el artículo *La persistencia de la memoria: El arte viviente,* los autores hablan de la *Spanish Colonial Arts Society.* ¿Qué hace esa organización para que no se pierda el arte del pasado? Escribe oraciones completas que describan cómo esa sociedad ayuda a proteger el arte.

Las descripciones variarán.

_____

_____

_____

_____

_____

_____

_____

D Después de comprar el último televisor, a la familia del cuento *La sexta tele* le empezó a pasar cosas extrañas y problemas muy raros. Los problemas cambiaban cada vez que uno de ellos entraba a un cuarto diferente. ¿Qué ocurrió en cada uno de los siguientes cuartos? Contesta con oraciones completas y detalladas.

el salón:

Las oraciones variarán.

_____

_____

el dormitorio del padre:

_____

_____

_____

el cuarto de estar:

_____

_____

_____

¿Cuál era el único cuarto donde la familia estaba segura? ¿Por qué?

_____

_____

_____

FONDO LITERARIO Fecha

E *Quetzal no muere nunca* es una leyenda maya que explica por qué el pájaro del mismo nombre tiene tanta importancia para los mayas actuales. Haz un resumen de la leyenda en tus propias palabras. Te damos una posible oración de introducción.

Hacía mucho tiempo que el adivino había dicho que Quetzal _____

Los resúmenes variarán.

_____

_____

_____

_____

_____

_____

_____

_____

_____

F ¿Qué crees que Lencho le pidió a Dios en el cuento *Una carta a Dios*? Escribe, en tus propias palabras, la primera carta que Lencho le escribió a Dios. No te olvides de mencionar los problemas que tiene Lencho y lo que necesita.

Querido Dios:

El contenido de las cartas variará.

_____

_____

_____

_____

_____

_____

_____

_____

_____

Muy agradecido,

Lencho

FONDO LITERARIO Fecha

G Después de leer *Apocalipsis*, describe diez aparatos y máquinas que hay en tu casa que te ayudan a tener una vida más cómoda y eficiente. Sigue el modelo.

Tengo un microondas que me ayuda a cocinar la comida rápidamente.

1. *Las oraciones variarán.*
2.
3.
4.
5.
6.
7.
8.
9.
10.

¿Crees que las máquinas podrán reemplazar a los seres humanos algún día? ¿Por qué sí? ¿Por qué no? Explica tu respuesta con ideas lógicas.

Las oraciones variarán.

FONDO LITERARIO   Fecha _____   **Writing Activities**

H Haz un resumen de todo lo que pasa en el cuento *La pobreza*. Te damos la primera y la sexta oración. Escribe tú las que faltan. Usa el subjuntivo y la voz pasiva cuando sea posible.

1. La viejita Pobreza siembra un árbol de guayaba, pero todos se suben sin pedirle permiso.

A ella no le importa que tomen las frutas, pero quiere que le pidan permiso.

2. *Las oraciones variarán.* _____

_____

3. _____

_____

4. _____

_____

5. _____

_____

6. Es necesario que el señor de la Muerte baje del árbol porque . . . _____

_____

7. _____

_____

8. _____

_____

9. _____

_____

10. _____

_____

FONDO LITERARIO   Fecha _____

I ¿Qué hacen los personajes del cuento *La herencia* para ayudarse el uno al otro y resolver sus problemas? Explica el problema que existe y lo que hace cada uno para resolverlo.

LOS PERSONAJES	EL PROBLEMA	LA SOLUCIÓN
fray Lucas	*Se encuentra con una calavera que habla.*	*Cree lo que dice la calavera y ayuda a Don Juan.*
el desconocido, fray Bernardino	*Es un aparecido y es posible que no le crean.*	*Le dice a fray Lucas exactamente dónde está el tesoro.*
el padre prior	*Duda que fray Lucas le diga la verdad al principio.*	*Después piensa que lo del aparecido es un milagro y cree lo que le cuenta fray Lucas.*
Don Juan	*Está en la cárcel porque debe mucho dinero.*	*Fray Lucas le da el dinero de su herencia.*

¿Crees que es posible que existan aparecidos como sucedió en el cuento? ¿Lo dudas? Explica tu respuesta.

Las respuestas variarán. _____

_____

_____

¿Por qué creees que fray Bernardino escogió a fray Lucas para decirle el secreto del tesoro de la herencia?

_____

_____

_____

¿Cómo crees que se haya sentido don Juan, el heredero?

_____

_____

_____

FONDO LITERARIO   Fecha

C Cuando terminamos de leer el cuento *Naranjas*, sabemos que el narrador tiene un buen trabajo y que gana bastante dinero para mantener a su familia; sin embargo, su vida no siempre fue tan fácil y cómoda. Explica lo que les pasó al narrador y a su familia.

1. su hermanita Ermenegilda: *Las respuestas variarán. Se enfermó y se murió a la edad de un año y medio.*

2. su madre: *Siempre llegaba a casa cansada y pálida después de trabajar todo el día en la empacadora.*

3. su padre: *Perdió su trabajo y luego murió cuando trató de cruzar de un vagón a otro del tren para ir a Los Ángeles.*

¿Qué hizo el narrador para obtener una vida mejor?

Vendió periódicos mientras iba a la escuela y estudiaba mucho para conseguir un trabajo mejor.

K Mientras el barbero afeita al capitán Torres en *Espuma y nada más*, piensa en matarlo. Haz una lista de los dos lados del debate interior del barbero.

A favor de matarlo   En contra de matarlo
Las listas variarán.

Al final, ¿qué decide hacer el barbero? ¿Por qué?

Las respuestas variarán, pero deben incluir esta idea: Decide no matarlo porque él no quiere ser un asesino.

¿Qué le dice el capitán Torres al barbero antes de irse?

¿Qué nos indica lo que dijo el capitán sobre su personalidad?

Nombre

FONDO LITERARIO

Fecha

L Haz una comparación de los dos abuelos en el poema de Nicolás Guillén, "La balada de los dos abuelos."

Taita Facundo es más… / menos… que Don Federico

Las respuestas variarán.

_____

_____

_____

Don Federico es más… / menos… que Taita Facundo

_____

_____

_____

¿Qué tienen en común los dos abuelos? Escribe oraciones completas en tu respuesta.

_____

_____

_____

_____

_____

_____

_____

_____

_____

_____

_____

_____

_____

_____

_____

Nombre _____

FONDO LITERARIO   Fecha _____   **Writing Activities**

M ¿Cómo tratan los varios personajes del cuento *Las salamandras* a la familia que va de un lugar a otro?

1. el ranchero en Minnesota: *Las respuestas variarán.* _____

_____

2. un mecánico en Crystal Lake, Iowa: _____

_____

3. la policía en Crystal Lake: _____

_____

4. un ranchero en Crystal Lake: _____

_____

¿Cómo tratan a las salamandras los miembros de la familia? ¿Por qué?

Las respuestas variarán. _____

_____

_____

_____

_____

_____

_____

_____

_____

_____

Audio Activities

Nombre _____

PASODOBLE

Fecha _____

Actividad P.1

Unos estudiantes hicieron una lista de las mejores excusas para usar en la escuela. Mientras escuchas cada una, escribe el número de la excusa debajo del dibujo correspondiente. Se repetirá cada excusa.

___3___

___1___

___2___

___5___

___4___

Actividad P.2

¿Cuánto español recuerdas del año pasado? Escucha las siguientes preguntas agrupadas por categoría y escribe tus respuestas en la tabla. Al final, calcula cuántos puntos tienes.

	Escuela	Ropa	Celebraciones	Viajes
25 pts	1. *un lápiz*	2. *los zapatos*	3. *diciembre*	4. *un boleto*
50 pts	5. *geometría*	6. *los mocasines*	7. *el pavo*	8. *el pasaporte*

PASODOBLE

Actividad P.3

¿Te gustan los juegos de palabras? Completa las siguientes analogías *(analogies)* escribiendo la respuesta en la línea.

1. _____ la primavera _____
2. _____ la panadería _____
3. _____ la noche _____
4. _____ la cabeza _____
5. _____ tenis _____
6. _____ la música _____
7. _____ agua _____
8. la profesora / el profesor
9. _____ invierno _____
10. _____ coche _____

Actividad P.4

Piensa en los títulos de tus canciones favoritas. ¿Con qué palabra crees que empieza la mayoría de las canciones populares? Piensa en tu respuesta en inglés y después escríbela en español. Luego escucha las respuestas en el casete para verificar tus respuestas.

Las primeras palabras de las canciones populares:

1. _____ Yo _____
2. _____ Mi _____
3. _____ Soy _____
4. _____ Cuando _____
5. _____ Tú _____

CAPÍTULO 1

Actividad 1.1

Es lunes y los estudiantes están hablando en la cafetería sobre su fin de semana. Para cada diálogo, identifica los nombres y escríbelos debajo del dibujo correspondiente. Se repetirá cada diálogo.

Diálogo 1

Paco

Carla

Diálogo 2

José

Bertha

Diálogo 3

Toño

María

Nombre _____

Fecha _____

Actividad 1.2

Escucha a estos jóvenes hablar sobre sus actividades extracurriculares. Después, escribe el número del diálogo debajo de la ilustración correspondiente.

2
_____

4
_____

3
_____

1
_____

Actividad 1.3

La profesora les está pidiendo a los estudiantes que juntos hagan una lista de recomendaciones para que funcione mejor la clase. Mientras escuchas cada recomendación, decide si la recomendación es de la profesora o del estudiante. Luego, escribe el número de la recomendación en el lugar correspondiente de la tabla.

Profesora	Estudiante
1	
	2
3	
	4
5	
6	
	7
8	
	9
	10

Actividad 1.4

Algunos estudiantes hicieron actos de bondad *(kindness)* durante el año escolar. El director va a decir unas palabras de reconocimiento *(acknowledgment)* en el auditorio de la escuela. Mientras escuchas al director, encierra en un círculo la razón *(reason)* por la que nombra a cada estudiante.

1. Diana Cartaya

(Le compró un almuerzo a la consejera Martínez.)

Visitó a la consejera Martínez cuando estaba enferma.

Le preparó un almuerzo delicioso a la consejera Martínez.

2. Miguel Delgado

Le regaló unas flores a su madre.

(Le regaló unas flores a una señora vieja.)

Le regaló unas flores al asilo.

3. Eva Pacheco

(Les regaló a los niños cinco muñecas.)

Los niños le hicieron cinco muñecas a ella.

Les regaló a los niños 50 muñecas.

4. Gustavo Borja

(Les lee libros a la gente del asilo.)

Trabaja como ayudante en la escuela.

Trabaja vendiendo libros.

5. Delia Martínez

Va a trabajar en la campaña de higiene en la comunidad.

(Va a ayudarnos con la campaña de higiene en la escuela.)

Va a seguir el ejemplo de la comunidad.

Actividad 1.5

Hay muchas opiniones sobre lo bueno y lo malo de cada mes del año. Al escuchar cada opinión, decide a qué mes corresponde y escribe el número de la oración después del mes.

enero	5	julio	8
febrero	2	agosto	
marzo		septiembre	1
abril		octubre	4
mayo		noviembre	7
junio	6	diciembre	3

Actividad 2.1

Algunas personas prefieren vivir en la ciudad, otras en las afueras y otras en el campo. Escucha las opiniones y señala *(mark)* con una X la columna apropiada que corresponda a la opinión de cada persona.

1. Juan	X		
2. Marta		X	
3. Gustavo	X		
4. Olivia			X
5. Adolfo		X	

Actividad 2.2

"Sabelotodo" es un juego por teléfono muy popular que está de moda. La categoría del día de hoy es "Ciudades y estados de los Estados Unidos." Escucha la pregunta y marca el número 1, 2 ó 3 de tu teléfono para responder a la pregunta. Escribe el número en la tabla para que recuerdes tu respuesta.

SABELOTODO
Ciudades y Estados

Pregunta:	1	2	3	4	5	6	7
	2	3	3	1	2	2	1

CAPÍTULO 2

Actividad 2.3

Todos recordamos con nostalgia algunos momentos de nuestra vida. Mientras escuchas a esta gente hablar sobre algunas décadas en particular, señala *(mark)* con una *X* la columna que corresponda a la década correcta.

DÉCADAS

	Los 20	Los 30	Los 40	Los 50	Los 60	Los 70
1.		X				
2.					X	
3.				X		
4.						X
5.	X					
6.			X			

Actividad 2.4

Los estudiantes invitaron a una señora mexicana a la sala de clases a hablar sobre su vida. Mientras escuchas la entrevista, identifica en cada frase el verbo en el tiempo imperfecto y escríbelo en la línea.

1. _____ *soñaba* _____
2. _____ *era* _____
3. _____ *gustaba* _____
4. _____ *disfrutaba* _____
5. _____ *quería* _____
6. _____ *estudiaba* _____

CAPÍTULO 2

Fecha

Actividad 2.5

Pasaron tres semanas desde que el nuevo director llegó a tu escuela y ya se siente un gran cambio en la escuela. En la cafetería se reunió el consejo estudiantil para hablar de los cambios. Después de cada una de las siguientes frases, escribe el nombre de la persona que la dijo.

Antes, las salas de clases estaban decoradas.	*Rodolfo*
Antes, los pasillos estaban muy animados.	*Arturo*
La escuela está muy animada.	*Francisco*
Se prohibe salir durante el almuerzo.	*Alfredo*
Antes, podíamos comer durante la clase.	*Noemí*
Las clases son demasiado largas.	*Rosario*

Nombre _____

CAPÍTULO 3

Fecha _____

Actividad 3.1

Tus amigos y tú deciden visitar el Museo del Prado el domingo; pero al llegar, el museo está muy lleno de gente y hay sólo una grabadora para escuchar la explicación de la exposición de Diego Velázquez. Tus amigos deciden que tú escuches la explicación y después se la digas. Toma notas mientras escuchas, pero sólo escribe lo que consideres más importante de la grabación.

Answers will vary. Students may mention certain aspects of Velázquez's life or his art.

_____

_____

_____

_____

_____

_____

_____

_____

_____

Actividad 3.2

Escucha los anuncios en la radio para una exposición en Nueva York y otra en Chicago. Después, escucha las preguntas y encierra en un círculo la respuesta correcta.

1. **a.** el impresionismo   **b.** el realismo   **(c.)** el surrealismo

2. **(a.)** subconsciente   **b.** inconsciente   **c.** el primer plano

3. **a.** de tonos vivos   **(b.)** blandos y suaves   **c.** un tono pastel

4. **a.** el impresionismo   **(b.)** el cubismo   **c.** el realismo

5. **(a.)** abstractas   **b.** realistas   **c.** figurativas

6. **a.** político   **b.** dramático   **(c.)** estético

CAPÍTULO 3

Actividad 3.3

Marco tiene tres carteles de pinturas famosas y le pide a su hermana Claudia que le ayude a ponerlos en las paredes de su cuarto. Mientras escuchas la conversación, identifica el pretérito del verbo *poner* y escríbelo en la línea.

CLAUDIA:	*puse*
MARCO:	*puse*
CLAUDIA:	*pusiste*
MARCO:	*puse*
CLAUDIA:	*puso*
MARCO:	*pusimos*
CLAUDIA:	*se pusieron, pusimos*
MARCO:	*pusimos*

Actividad 3.4

La profesora de la clase de arte invitó a un pintor famoso a la clase para hablar sobre arte y las influencias en su obra. Escucha la entrevista y luego contesta las preguntas. Encierra en un círculo la respuesta correcta.

1. ¿De quién fue la idea de ir al museo?

   a. la profesora   **b.** Rosa y Paty   **c.** Dalí y Velázquez

2. ¿Qué pintores españoles contribuyeron a la formación artística de Jesús Acuña?

   a. Velázquez y Dalí   **b.** Dalí y Picasso   **c.** Picasso y Velázquez

3. ¿Quién contribuyó al movimiento surrealista latinoamericano?

   a. Diego Rivera   **b.** Fernando Botero   **c.** María Izquierdo

4. ¿Quién influyó a Diego Rivera en su período cubista?

   a. Dalí   **b.** Picasso   **c.** Acuña

5. ¿Quién contribuyó a pintar el mural de la escuela?

   a. el pintor y la profesora   **b.** todos los estudiantes de esa clase   **c.** Rosa y Paty

Actividad 3.5

Cuando tu clase visitó el museo de arte, tú sacaste unas fotos. Ahora mira las fotos y recuerda lo que la gente estaba haciendo. Escucha las oraciones y escribe el nombre de la persona o personas debajo del dibujo correspondiente.

Miguel y Adolfo

María

Marco y Lupe

La familia

Lety

CAPÍTULO 4

Actividad 4.1

¿Tienes una videocasetera? ¿Para qué la usas? Mientras escuchas a estas personas explicar para qué usan la suya, escribe el número del diálogo debajo de la ilustración correspondiente.

3

2

1

4

Actividad 4.2

Escucha a Paco Chavel, el famoso crítico de cine, dar su comentario sobre los premios "Óscar" y las películas ganadoras de los años pasados. Mientras escuchas, anota en la tabla lo que él dice.

| | Los años . . . | | | |
	30	40	50	60
Su película favorita	*Lo que el viento se llevó*	*Rebecca*	*Un americano en París*	*West Side Story*
Año en que ganó el "Óscar"	*1939*	*1940*	*1951*	*1961*
Galán / heroína de la película	*Clark Gable / Vivien Leigh*	*Laurence Olivier*	*Gene Kelly*	*Natalie Wood*

Actividad 4.3

En el programa de entrevistas "Opiniones opuestas," Lorenzo Reyes tiene como invitados a dos sicólogos, el Dr. Rivas y la Dra. Tellado. Ellos van a hablar sobre la influencia de la televisión en los niños. En la tabla, toma notas sobre lo que dicen y después decide con cuál de los dos invitados estás de acuerdo.

Dra. Tellado	Dr. Rivas

Estoy de acuerdo con _Answers will vary._ _____

porque _____

_____.

Actividad 4.4

Cada día, una parte divertida de los anuncios escolares es un reportaje sobre la vida social de un estudiante anónimo. Mientras escuchas cada reportaje, anota en la tabla lo que se dice de cada estudiante anónimo.

	Lo que se ha dicho
lunes	*No ha devuelto cinco libros; tiene que pagar una multa de $34.50.*
martes	*No ha abierto su libro de historia en todo el semestre y ahora está nervioso.*
miércoles	*Tuvo que llevar un traje de pirata porque su novia se lo pidió.*
jueves	*Estaba almorzando con su ex novio.*
viernes	*No pudo encontrar sus pantalones y tuvo que llamar a su mamá.*

Actividad 4.5

Los Ramírez van a salir a pasear. Mientras escuchas al Sr. Ramírez queriendo reunir a sus seis hijos, escribe el nombre de cada hijo debajo de la ilustración correspondiente.

Lorenzo

Armando

María Elena

Nacho

Carmen

Juanita

Nombre _____

Fecha _____

Actividad 5.1

Un grupo de estudiantes decidió visitar las ruinas mayas de Palenque. El Dr. Chilam Cruz, un famoso antropólogo, será el guía del grupo. Mientras lo escuchas hablar, escribe la identificación de cada dibujo que el antropólogo mencione en la excursión.

_____

el templo

los jeroglíficos

el observatorio

la tumba

_____

vasijas

Actividad 5.2

Escucha las siguientes oraciones y decide cuáles pertenecen al tiempo pasado, al presente o a los dos tiempos. Pon una *X* en la columna apropiada y que corresponda con cada oración.

	Pasado	Presente	Pasado y presente
1.	X		
2.			X
3.	X		
4.			X
5.		X	
6.		X	
7.	X		
8.			X
9.	X		
10.	X		

Actividad 5.3

Armando vive en una pequeña comunidad maya en Honduras. Como parte de la tradición familiar, para desearle suerte con su futura esposa, su familia le habla sobre cosas importantes que él ha hecho. Mientras escuchas a la familia hablar, escoge la frase correcta que habla de Armando.

PAPÁ: a. Hacía muchísimo tiempo que no teníamos profesor.
         b. Hacía muchísimo tiempo que teníamos profesor.

MAMÁ: a. Hace diez años que trabajas como profesor.
         b. Hace seis años que trabajas como profesor.

HERMANA: a. Hacía veinte años que veíamos un gran líder.
         b. Hacía veinte años que no veíamos un gran líder.

HERMANO: a. Hace tres años que organizas a los trabajadores del campo.
         b. Hace seis años que organizas a los trabajadores del campo.

Actividad 5.4

Verónica regresó muy cansada de la excursión de Chichén Itzá. Al dormirse, ella comenzó a soñar con *(dream about)* la estatua del Chac Mool. Mientras escuchas la conversación, contesta las preguntas que Verónica hace.

1. *los mayas*

2. *el maíz*

3. *en el observatorio*

4. *los arqueólogos*

5. *No. La cultura maya no ha desaparecido.*

Actividad 5.5

Mucha gente tiene buenas intenciones para cambiar sus hábitos, pero después de cierto tiempo olvida las buenas intenciones. Escucha a estas personas hablar sobre sus intenciones y escribe en la tabla lo que la persona va a hacer y lo que sigue haciendo.

	Lo que va a hacer . . .	Lo que sigue haciendo . . .
Susana:	*no comer azúcar*	*sigue comiendo dulces*
Mauricio:	*leer más*	*sigue viendo la televisión*
Elena:	*ahorrar dinero*	*sigue comprando ropa y discos compactos*
Guillermo:	*comer la comida de su mamá*	*sigue comiendo en restaurantes*
Ana:	*llegar a tiempo a la escuela*	*sigue levantándose tarde*
Margarita:	*acostarse más temprano*	*sigue viendo películas hasta la medianoche*

Actividad 6.1

Mientras escuchas a las siguientes personas tratando de comunicarse, escribe el número de la conversación debajo de la ilustración correspondiente.

_____4_____

_____3_____

_____2_____

_____1_____

Actividad 6.2

Hoy en día existen varios inventos que hacen más fácil la comunicación. Cada conversación que vas a escuchar se trata de un problema que se puede resolver con el uso de alguno de estos inventos. Escribe el número de la conversación debajo del invento correspondiente.

_____1_____

_____2_____

_____4_____

_____3_____

Actividad 6.3

El Sr. Robles va a mandar un telegrama de Barcelona a Madrid. Llena este formulario mientras escuchas la conversación entre el Sr. Robles y la representante de la oficina de telegramas.

Telegramas Nacionales

Nombre del destinatario *Armando Cruz Martínez* _____

Dirección del destinatario *Zurbano 57, Madrid* _____

Recado *Llego a las seis de la tarde el 11 de noviembre.* _____

_____

_____

Nombre del remitente *Mauricio Robles* _____

Dirección del remitente *Las Ramblas 40, Barcelona* _____

Actividad 6.4

Los niños a veces viven momentos de intensa emoción. Escucha a Lorena reaccionar ante varias situaciones, y escribe el número de lo que dice Lorena debajo de cada dibujo correspondiente.

¡Dámelo! _____

¡Díganmelo! _____

¡Cómpramelo! _____

¡Córtamelo! _____

Actividad 6.5

Escucha a la famosa Doña Sofía dar sus predicciones para los doce signos del zodiaco. Mientras escuchas, llena la tabla de abajo.
Sample answers are provided.

	Predicción astrológica
acuario (20 de enero a 19 de febrero)	*Será una buena semana para estar con tu familia y todos se llevarán bien. Resolverás un problema.*
piscis (20 de febrero a 20 de marzo)	*Podrás concentrarte en tus estudios. Recibirás una invitación a un evento muy divertido.*
aries (21 de marzo a 19 de abril)	*Tendrás algunos problemas con tus amigos. Si eres paciente, los podrás resolver. Después del miércoles serás el centro de atención.*
tauro (20 de abril a 20 de mayo)	*Tendrás buena suerte toda la semana. Sacarás buenas notas en todos los exámenes. Los días serán muy tranquilos.*
geminis (21 de mayo a 21 de junio)	*Esta semana querrás un cambio. Llegará una persona a tu vida y vivirás momentos muy intensos.*
cáncer (22 de junio a 22 de julio)	*Serás víctima de un comentario falso. Pero gracias a tu buen carácter, para el fin de semana, todos sabrán que eres inocente.*
leo (23 de julio a 22 de agosto)	*Llegará un amor nuevo y sincero. ¡Pero cuidado! Una persona de tu pasado te traerá problemas.*
virgo (23 de agosto a 21 de septiembre)	*Tendrás una explosión de energía y terminarás todo lo que empezaste la semana pasada. ¡Pero no trates de hacerlo todo al mismo tiempo!*
libra (22 de septiembre a 22 de octubre)	*Recibirás una llamada telefónica que te emocionará. Tendrás que hablar en voz baja para que nadie sepa.*
escorpión (23 de octubre a 21 de noviembre)	*Tendrás que pensar antes de hablar, porque esta semana todos te pedirán consejos.*
sagitario (22 de noviembre a 21 de diciembre)	*Tendrás varios admiradores esta semana y alguien querrá enamorarte. Un amigo te pedirá dinero prestado.*
capricornio (22 de diciembre a 19 de enero)	*Verás un cambio económico y tendrás que ahorrar dinero. Di "no" cuando quieras decir "sí."*

CAPÍTULO 7

Actividad 7.1

Escucha los siguientes anuncios sobre el servicio social. Después escribe el número de teléfono que corresponda a cada ilustración.

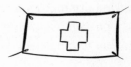

Teléfono: _555-0040_   Teléfono: _555-4466_   Teléfono: _555-8504_

Actividad 7.2

Hay muchas cosas que puedes hacer por tu comunidad. Mientras escuchas las siguientes sugerencias *(suggestions)*, señala con una *X* qué grupo de la comunidad se beneficia de cada clase de ayuda.

1.		✗	
2.			✗
3.	✗		
4.		✗	
5.			✗
6.		✗	
7.	✗		
8.			✗
9.	✗		

Actividad 7.3

Eduardo está entrevistando a una voluntaria de Habitat for Humanity International. Escoge la respuesta correcta de cada pregunta mientras escuchas la entrevista.

1. ¿Qué es Habitat for Humanity International?
   a. Una organización que empezaron Linda y Millard Fuller en 1976
   b. Una organización que construye casas para los pobres
   c. Una organización sin fines de lucro
   d. *a, b y c*

2. ¿Cómo funciona la organización?
   a. Construye casas con la ayuda de voluntarios y donaciones.
   b. Acepta ayuda financiera del gobierno para la construcción de casas.
   c. Los que se benefician del trabajo de la organización tienen que ayudar en la construcción.
   d. *a y c*

3. ¿Dónde trabaja Habitat?
   a. Sólo en Estados Unidos
   b. Sólo en los países pobres
   c. En Estados Unidos y en otros 40 países
   d. En las comunidades que tienen mucho dinero

4. ¿Qué es el "Proyecto de Jimmy Carter"?
   a. La construcción de una casa en una semana
   b. Un proyecto que envía voluntarios a otros países
   c. Un proyecto para juntar fondos
   d. La construcción de una casa especial para presidentes

5. ¿Cómo puede la gente colaborar con Habitat?
   a. Juntar fondos
   b. Distribuir información
   c. Trabajar como voluntario construyendo casas
   d. *a, b y c*

6. ¿Qué piensa la Sra. Montes de su trabajo?
   a. Tiene 65 años y ya está cansada.
   b. No puede hacer nada para mejorar la sociedad.
   c. Está satisfecha de lo que está haciendo.
   d. Prefiere trabajar en una biblioteca.

CAPÍTULO 7

Actividad 7.4

Nacho y su novia prometieron ayudar a servir la cena del Día de Acción de Gracias mañana en un comedor de beneficencia. Escucha su conversación y luego contesta las preguntas.

¿A qué hora tienen que llegar al comedor?

A la una de la tarde

¿Por cuánto tiempo van a estar allí?

Por tres horas

¿Dónde queda el comedor?

En el centro, al lado del Parque Hidalgo

¿Qué tienen que llevar al comedor?

Sal y pimienta

Actividad 7.5

Cinco clases de tu escuela colaboraron en varios proyectos de servicio social esta semana. Escucha al director anunciar qué fue hecho por cada clase y escríbelo en la tabla.

La clase de	¿Qué fue hecho?
Profesora Rodríguez	*Unas casas fueron pintadas.*
Profesor Moreno	*Unos ancianos fueron visitados.*
Profesora Rendón	*Un baile fue organizado.*
Profesor Fernández	*Mucha ropa fue donada.*
Profesora Duarte	*$200 fueron juntados.*

Actividad 8.1

El programa de entrevistas, "Aunque Ud. no lo crea," hoy presenta el tema "Experiencias con monstruos." Llena la tabla mientras escuchas el programa.

	Srta. Ramos	Sr. Escobar
1. ¿Qué edad tenían?	*18 años*	*30 años*
2. ¿En dónde ocurrió?	*en Australia*	*en el campo*
3. ¿Cuánto medía el monstruo?	*2 metros*	*un metro*
4. ¿Qué vieron en realidad?	*un canguro*	*una persona con disfraz*
5. ¿Es la historia creíble o increíble?	*Answers will vary.*	*Answers will vary.*

Actividad 8.2

El profesor Ramírez invitó al Dr. Luján a la clase de español para hablar sobre fenómenos inexplicables. Después de escuchar al Dr. Luján, contesta las preguntas escogiendo la respuesta correcta.

1. **a.** Al Océano Pacífico   **b.** A Chile   **c.** A Polinesia

2. **a.** un observatorio   **b.** una isla encantada   **c.** una cabeza enorme

3. **a.** un mito   **b.** una leyenda   **c.** una teoría

4. **a.** en Chile   **b.** en México   **c.** en el Golfo

5. **a.** de 11 a 24   **b.** de 12 a 24   **c.** de 11 a 34

6. **a.** sí   **b.** no   **c.** no se sabe

Actividad 8.3

¿Será posible que los estudiantes de secundaria no conozcan bien a sus profesores? Escucha las dudas que tienen los estudiantes sobre sus profesores. ¿Qué dudan y por qué? Escribe las razones en las líneas. *Answers will vary. Sample answers are provided.*

	Duda que . . .	**Porque . . .**
1. Chela:	sus profesores vayan a los conciertos de rock	visten muy elegantes
2. Enrique:	su profesora de matemáticas hable con los estudiantes	ella siempre está muy seria
3. Lupe:	*su profesor prefiera la música clásica al rock*	*el profesor siempre está cantando canciones de rock*
4. Malena:	*su profesora de español sea muy estricta con sus hijos*	*a los estudiantes los quiere mucho y siempre es muy amable*
5. Rafael:	*su profesora de ciencias nunca se equivoque*	*ella es muy inteligente*
6. Marco:	*sus profesores sepan los problemas de los estudiantes*	*no tienen mucha comunicación*
7. Quiqui:	*sus profesores tengan tiempo de ver la tele*	*siempre están preparando clases*
8. Laura:	*su profesora de literatura tenga tiempo para su familia*	*ella siempre está leyendo*
9. Esteban:	*su profesora de educación física se divierta los fines de semana*	*ella es una atleta muy importante*
10. María:	*los profesores salgan a bailar durante los exámenes finales*	*los profesores tienen mucho trabajo con sus pruebas*

Actividad 8.4

Escucha las siguientes oraciones. Después escribe el número de la oración debajo del dibujo correspondiente.

_____3_____

_____1_____

_____2_____

_____5_____

_____4_____

Actividad 8.5

Hay familias donde la comunicación entre los padres y los hijos es muy difícil. En ocasiones, los hijos no entienden a los padres o los padres no entienden a sus hijos. Escucha a los estudiantes hablar sobre las cosas que sus padres hayan o no hayan hecho. Después escríbelo en las líneas.

REBECA: *Es increíble que mi padre nunca me haya mentido.* _____

_____

FELIPE: *Es probable que mi madre nunca haya escrito una lista de cosas por hacer.*

_____

SAMUEL: *Dudo que mi madre haya comido con sal.* _____

_____

ROXANA: *Puede ser que mi padre nunca haya hecho nada malo.* _____

_____

Actividad 9.1

Escucha hablar a los siguientes empleados del Hotel Saldívar. Escribe el número del diálogo debajo de la ilustración correspondiente.

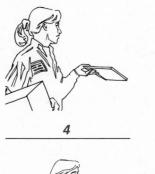

4

3

2

1

Actividad 9.2

Ana y Leonora trabajan en el mismo edificio en el centro de la ciudad. Escucha la conversación que tienen cuando se encuentran en el ascensor. Mientras escuchas, llena la tabla.

	Ana	Leonora
El tipo de empleo	*secretaria*	*asistente administrativa*
El tiempo que lleva en el empleo	*dos años*	*dos meses*
Lo que estudió en la universidad	*música*	*sicología*
Lo que hace en el empleo	Answers will vary, but may include: *contestar el teléfono, hacer las citas, llenar formularios, mantener los archivos, escribir reportajes*	Answers will vary, but may include: *administrar la oficina, escribir anuncios clasificados, servir de guía para los nuevos empleados*
Lo mejor del empleo	*está aprendiendo mucho*	*está conociendo a mucha gente*

Actividad 9.3

Manolo y su novia terminaron su relación ayer y Manolo está muy triste. Mientras escuchas a sus amigos dándole consejos, escribe en la tabla el consejo de cada persona. Después añade *(add)* tu propio consejo a la lista.

	Su consejo
Susana	*No vayas al lugar donde se conocieron.*
Mario	*No te quedes en casa. Sal con tus amigos. ¡Diviértete!*
Serafina	*No la llames por teléfono.*
Roberto	*Inscríbete en una clase de arte.*
Marina	*Participa en algún deporte.*
Ricardo	*Fíjate una nueva meta.*
Tu consejo:	*Answers will vary.*

Actividad 9.4

Cristina está buscando empleo y ha solicitado ayuda a una agencia de trabajo. Escucha las ofertas de trabajo de la agencia y escribe el número de la oferta debajo de la ilustración correspondiente.

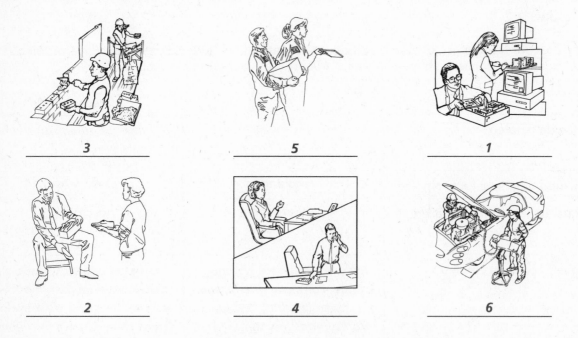

3	5	1
2	4	6

Actividad 9.5

Hay varias maneras de pedir un ascenso. Escucha cómo lo piden Mercedes y Marta. ¿Quién merece el ascenso? ¿Quién no lo merece? Escribe tus razones en las tablas.
Sample answers are given.

Mercedes Salinas

Sí ☐   No ☒

Razones:

Answers will vary, but may include: *No hizo una cita,*

no tiene recomendación, no tiene buenos modales, no

es respetuosa

_____

_____

_____

_____

Marta Oliva

Sí ☒   No ☐

Razones:

Answers will vary, but may include: *Hizo una cita,*

tiene carta de recomendación, se graduó de la

universidad, tiene experiencia, es respetuosa, tiene

experiencia en el departamento

_____

_____

_____

CAPÍTULO 10

Fecha _____

Actividad 10.1

Mientras escuchas el siguiente reportaje sobre un crimen que acaba de ocurrir, llena el formulario con los datos del crimen.

El Informe

La fecha: *12 de abril* _____

La hora: *4:30 P.M.* _____

El lugar: *Banco Bilbao* _____

Descripción del crimen: *un secuestro y tiroteo, terminando en el asesinato de un empleado del*

banco _____

_____

_____

La(s) víctimas(s): *Martín Solanos y otro empleado* _____

El sospechoso: *un empleado enojado con el banco porque perdió su trabajo*

_____

_____

Actividad 10.2

¿Qué medidas toman los países para reducir el crimen? Mientras escuchas cada uno de los siguientes datos, escribe en la línea una de las medidas que toma cada país en la lucha contra el crimen.

COSTA RICA: *No tiene ejército. La mayoría de los policías no llevan armas.*

_____

ARABIA SAUDITA: *Impone castigos corporales. El temor a esta pena ayuda a reducir el*

crimen.

ESTADOS UNIDOS: *Impone la pena de muerte para crímenes como el terrorismo y el*

narcotráfico a gran escala.

Actividad 10.3

Mientras escuchas a estas personas participar en un proceso judicial, determina quién está hablando y pon una *X* en el lugar correspondiente de la tabla.

	abogado, -a	acusado, -a	testigo	juez
1.				X
2.	X			
3.			X	
4.	X			
5.		X		
6.				X

Actividad 10.4

Un policía está dando una charla sobre cómo defenderse en casa. Escucha las siguientes situaciones que presenta el policía. Después de escuchar cada situación y las tres opciones, escoge la mejor opción y explica por qué la escogiste. Al final de la actividad, el policía dará las respuestas.

Primera situación

La mejor respuesta: __c__

La razón: *Answers will vary, but may include: Es mejor que el hombre piense que hay otra*

persona con Ud. en casa.

Segunda situación:

La mejor respuesta: __a__

La razón: *Answers will vary, but may include: No debe darle a nadie su número de tarjeta de*

crédito sin saber a quién se lo está dando.

Actividad 10.5

Jorge está muy triste porque le han robado. Mientras habla con Sandra acerca del robo, escribe el número del diálogo debajo del dibujo correspondiente.

3
_____

4
_____

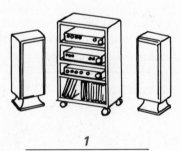

1
_____

2
_____

Nombre

Fecha

Actividad 11.1

Un grupo de estudiantes visita Andalucía, región del sur de España. Escucha a los estudiantes hacerle preguntas a la guía y determina qué dibujo corresponde a la pregunta. Después escribe la respuesta debajo del dibujo.

Con azulejos de colores

Fernando e Isabel

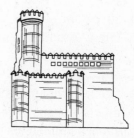

Se llama la Alhambra.

Actividad 11.2

Teresa está interesada en saber más sobre la fusión de culturas que tuvo lugar en México. Por eso fue a la oficina de turismo a buscar información. Mientras escuchas la conversación, escribe el nombre de los lugares de interés que faltan en el mapa.

A	B	C

1.

las ruinas

fuente

2.

3.

Templo Mayor

Actividad 11.3

Los jóvenes de cuarto año de secundaria están hablando sobre la tradición de dar la bienvenida de iniciación a los nuevos estudiantes. Escucha a los estudiantes hablar y después contesta las preguntas escogiendo la respuesta correcta.

1. **a.** sin palabras
   b. como estudiantes nuevos
   c. con un helado

2. **a.** que les limpien los zapatos
   b. que lleven sus libros
   c. que les limpien los libros

3. **a.** con los estudiantes nuevos
   b. con los estudiantes de cuarto año
   c. con los estudiantes nuevos y de cuarto año

Actividad 11.4

El profesor de español invitó a tres personas famosas para hablar a la clase sobre el éxito y cómo obtenerlo. Mientras escuchas a las personas hablar, llena la tabla.

nombre:	Julio	Karina	Héctor
profesión:	atleta	médica	músico

Nombre _____

CAPÍTULO 11

Fecha _____

Actividad 11.5

El último día del campamento de verano, varios consejeros y consejeras están hablando sobre lo que hicieron para que uno de los niños pudiera dormir bien. Escucha a los consejeros hablar y después escribe el número de la oración debajo del dibujo correspondiente.

_____4_____

_____3_____

_____6_____

_____1_____

_____2_____

_____5_____

Nombre _____

CAPÍTULO 12

Fecha _____

Audio Activities

Actividad 12.1

La organización de Jóvenes Profesionistas de Miami tiene una reunión para intercambiar opiniones sobre las ventajas de saber otro idioma. Mientras los escuchas hablar, llena la tabla con la información correspondiente.

nombre: *Felicia*

carrera: *contadora*

idiomas que habla : *inglés y español*

ventajas de saber otro idioma: *Puede ganar mucho dinero y viajar a otros*

países.

nombre: *Luis*

carrera: *banquero*

idiomas que habla : *inglés, español y francés*

ventajas de saber otro idioma: *Puede recibir un aumento de sueldo.*

nombre: *Carmen*

carrera: *traductora*

idiomas que habla : *inglés, español y polaco*

ventajas de saber otro idioma: *Puede trabajar en casa.*

nombre: *Sergio*

carrera: *médico*

idiomas que habla : *inglés, español y por señas*

ventajas de saber otro idioma: *Puede ayudar a la gente sorda.*

Actividad 12.2

Es la semana de lenguas extranjeras en la escuela. El club de español está organizando un concurso sobre el uso de los idiomas a nivel mundial. Escucha las preguntas y escribe las respuestas en las líneas.

1. *Answers will vary, but may include: el chino, el inglés, el español*
2. *Answers will vary, but may include: el español, el francés, el alemán*
3. *Answers will vary, but may include: el inglés, el español, el francés*
4. *Answers will vary, but may include: Nuevo México, California, Texas*
5. *Estados Unidos*
6. *el español*
7. *Paraguay*
8. *Estados Unidos*

Actividad 12.3

En la clase de español, el profesor Cruz les pide a los estudiantes que imaginen los deseos que pedirían si encontraran una lámpara mágica. Escribe lo que cada estudiante pediría. En la última línea escribe lo que tú pedirías.

PATRICIA: *Pediría un viaje a Nueva York.*

DANIEL: *Pediría una computadora especial.*

MARIO: *Pediría ayuda para descubrir nuevas medicinas.*

MARITZA: *Pediría una casa para sus padres.*

ESTEBAN: *Pediría unos zapatos especiales para jugar fútbol.*

TÚ: *Answers will vary.*

Actividad 12.4

Ignacio es un estudiante de intercambio y visita una secundaria en Los Ángeles. Los estudiantes de la clase de español invitaron a Ignacio para intercambiar opiniones sobre la cultura española. Escucha a cada estudiante y determina si su comentario es falso o verdadero.

	Falso	Verdadero
Juan	X	
Carla		X
Toño	X	
Josefa		X
Carmen		X

Actividad 12.5

Lucy estudia en una secundaria de Arizona. El profesor de la clase de español la invitó a su clase para entrevistarla sobre su experiencia como inmigrante. Contesta las preguntas mientras escuchas a Lucy.

¿De dónde es Lucy?

Nació en Venezuela pero creció en Costa Rica.

¿Dónde aprendió inglés?

En Estados Unidos

¿Quién fue la inspiración de Lucy?

La Sra. López

¿Cuáles son los beneficios de la amistad para Lucy?

Answers will vary but may include: Son muchos. Es importante convivir con personas de otras

culturas.

Video Activities

A Anticipación

1. Escribe tres cosas que te hacen a ti diferente de otras personas.

Answers will vary.

_____

_____

2. Imagina que tu comunidad te invita a participar en un desfile. ¿Qué es lo que puedes hacer para demostrar *(show)* quién eres?

Answers will vary.

_____

_____

_____

B ¿Comprendiste?

Para hablar con un(a) compañero(a)

1. ¿Por qué crees tú que a Puerto Rico le dicen la "Isla del Encanto" *(Island of Enchantment)*?
Answers will vary.

2. Jorge Díaz es uno de los participantes del Desfile Puertorriqueño. Él dice: "Lo que me hace a mí único y diferente de todo el mundo es que, primeramente, soy latino, y en segundo lugar, yo no me dejo llevar por lo que la gente dice de mí." ¿Estás de acuerdo con lo que dice Jorge? ¿Por qué?
Answers will vary.

3. Como viste en el video, Giannina Bastidas dice que está contenta de hablar un segundo idioma. ¿Por qué crees que para ella es importante hablar una segunda lengua?
Answers will vary.

Para escribir

1. ¿Con qué frecuencia se celebra el Desfile Puertorriqueño en Chicago?

Una vez al año.

_____

2. Además de celebrar la cultura y la unidad de los puertorriqueños, ¿qué otra cosa se celebró este año en el Desfile Puertorriqueño?

El primer centenario de la bandera puertorriqueña.

_____

CAPÍTULO 1

3. Escucha bien a Jorge Díaz hablar del Desfile Puertorriqueño. ¿Por qué cree él que eventos como éste son importantes?

Answers may vary. Sample answer: Porque eventos como éste despiertan la unidad entre

los diferentes latinos.

4. Jesús Hernández dice que se considera "parte puertorriqueño, por mis amigos." ¿Tú también te consideras parte de otra(s) cultura(s)? ¿Cuáles? ¿Por qué?

Answers will vary.

C ¿Qué sabes ahora?

1. Como ya sabes, a Puerto Rico le dicen la "Isla del Encanto." Piensa un momento y escribe una frase que describa a Estados Unidos.

Answers will vary.

2. En tu ciudad o comunidad, ¿se celebran otros desfiles como el de los puertorriqueños? ¿Cuáles son? Describe algo de una de esas celebraciones.

Answers will vary.

A Anticipación

1. Imagina que un muchacho de Bolivia va a quedarse por unos días en tu casa. Tú quieres mostrarle cómo es la vida en las ciudades de aquí. ¿Adónde lo vas a llevar?

Answers will vary.

_____

_____

2. Ahora imagina que tú vas a estar unos días en una comunidad rural. Describe las cosas que más te gustan de lo que conoces de la vida en el campo.

Answers will vary.

_____

_____

B ¿Comprendiste?

Para hablar con un(a) compañero(a)

1. Los jóvenes en este segmento del video hablan sobre las diferencias entre vivir en el campo y vivir en la ciudad. ¿Estás de acuerdo con lo que ellos dicen? Explica por qué sí o por qué no.
Answers will vary.

2. Una de las jóvenes entrevistadas afirma que la ciudad "es el mundo de adeveras," *(real world)* y "el campo (que) es un escape justamente del mundo." ¿Qué piensas de esto? ¿Por qué?
Answers will vary.

3. Casi todos nosotros tenemos un lugar ideal para vivir. En el video se escuchan varias opiniones sobre este tema. Y tú, ¿puedes describir tu lugar ideal para vivir?
Answers will vary.

Para escribir

1. Escribe tres cosas positivas y tres cosas negativas de vivir en una ciudad tan grande como la Ciudad de México (20 millones de habitantes).

Positivas:

a. *Answers may vary: mucha diversión*

b. *muchas tiendas*

c. *muchas escuelas y universidades.*

CAPÍTULO 2

Negativas:

a. _la contaminación_

b. _mucha gente_

c. _el tráfico._

2. Según lo que viste en el video, ¿cuáles crees que pueden ser tres ventajas y tres desventajas de vivir en el campo?

Ventajas

a. _Answers may vary: No hay mucho ruido._

b. _La gente puede ser más amable._

c. _Puedes estar solo(a) si quieres._

Desventajas

a. _No hay mucho transporte público._

b. _No hay muchos hospitales._

c. _No hay muchos lugares de diversión._

3. Escribe tres lugares en los cuales quieren vivir algunos de los jóvenes de este segmento.

Answers may vary. Sample answers: en las montañas; en el Japón; en la selva.

C ¿Qué sabes ahora?

De todos los lugares que viste en este segmento, ¿en cuál de ellos te gustaría vivir? ¿Por qué? Discútelo en grupos de tres. Después, cada grupo puede dar su opinión al resto de la clase.

A Anticipación

1. ¿Crees tú que existe diferencia entre las artesanías y lo que se conoce como arte tradicional? Explica.

   Answers will vary. _____

   _____

2. ¿Crees que el arte es importante para el progreso de la sociedad humana? Explica por qué.

   Answers will vary. _____

   _____

B ¿Comprendiste?

Para hablar con un(a) compañero(a)

1. Como viste en la primera etapa *(clip)* de este segmento, el Festival de Oruro, en Bolivia, se celebra una vez al año. Oruro tiene la industria minera más grande de Bolivia. El festival es una tradición para proteger a los mineros de estaño *(tin miners)* de accidentes o catástrofes en el futuro. ¿Cómo crees tú que los disfraces representan a los mineros?
   Answers will vary.

2. Los atlantes *(ancient totem pole-like sculptures)* de la cultura olmeca son un misterio para los arqueólogos. Unos dicen que las figuras de piedra representan a guerreros *(warriors)*. Otros dicen que pueden representar a seres de otro planeta. ¿Qué crees tú que son? ¿Por qué?
   Answers will vary.

3. En este segmento viste una toma del calendario azteca de piedra, que se encuentra en el Museo Nacional de Antropología e Historia, en la Ciudad de México. ¿Qué crees que representa la cara humana que está en el centro del calendario? ¿Por qué?
   Answers will vary.

Para escribir

1. En el Bazar del Sábado, de la Ciudad de México, se ven muchas pinturas en una exposición al aire libre. ¿Quiénes crees que expongan sus obras en estos lugares, pintores famosos o artesanos locales? ¿Por qué?

   Answers will vary. Sample answer: artesanos locales. _____

   _____

   _____

2. En el Museo del Oro de Bogotá, después de las tomas de los atlantes, se ve un bote con varias figuras. ¿Puedes escribir unas frases que describan lo que crees que pasa en el bote?

Answers will vary.

_____

_____

3. Al final de este segmento se muestran algunas pinturas de Fernando Botero. ¿Conoces otras obras de este artista? ¿Qué es lo que más te llama la atención de sus obras? Describe su estilo.

Answers will vary. Sample answers: Las figuras son gordas. Usa muchos colores en sus

pinturas.

_____

_____

_____

C ¿Qué sabes ahora?

Imagina que vas a estudiar arte. ¿Cuál de estas áreas de estudio vas a escoger? Explica por qué.

Escultura   Pintura   Fotografía   Dibujo

Answers will vary.

_____

_____

_____

_____

A Anticipación

1. Escribe tres ventajas y tres desventajas que tiene la televisión.

Ventajas

a. *Answers will vary.* _____

b. _____

c. _____

Desventajas

a. _____

b. _____

c. _____

2. Según la *American Medical Association*, el niño (la niña) típico(a) estadounidense, cuando cumpla dieciocho años, habrá visto 40,000 asesinatos *(murders)* y 200,000 actos de violencia en la televisión. ¿Cómo crees que esto nos influye? Explica tu respuesta.

Answers will vary. _____

_____

_____

B ¿Comprendiste?

Para hablar con un(a) compañero(a)

1. Al comienzo del video Uds. leyeron: "La televisión puede influir en lo que pensamos, aprendemos y compramos." ¿Creen ustedes que la televisión nos influye positivamente o negativamente? ¿Por qué?
Answers will vary.

2. Observen el anuncio de "La Mega 92.1," emisora de radio de Puerto Rico. ¿Creen que este anuncio se parece *(resemble)* a otros anuncios de emisoras de radio que han visto en los Estados Unidos? ¿En qué se parecen? Si creen que no se parecen, ¿cuáles son las diferencias? Presenten sus respuestas a la clase.
Answers will vary.

Para escribir

1. En la serie cómica "Corte Tropical," ¿de qué están hablando el peluquero *(hairdresser)* y la clienta?

De la comida y la música de Argentina y de Cuba. _____

_____

2. ¿En qué país de Hispanoamérica se filma el documental llamado "Arrecifes Coralinos" *(Coral Reefs)?*

En Venezuela. _____

3. ¿Cuál es la lección del anuncio de servicio público de la compañía de electricidad de Venezuela?

"Ahorrando, tu presupuesto rinde más." Answers may vary slightly. _____

_____

C ¿Qué sabes ahora?

Todos sabemos que la televisión es un tema de mucha controversia. Imagina que tienes una posición importante en la industria de la televisión. ¿Qué vas a hacer para mejorar *(improve)* su reputación? ¿Por qué?

Answers will vary. _____

_____

_____

_____

_____

CAPÍTULO 5

Fecha _____

A Anticipación

1. ¿Puedes pensar en algo que se inventó hace miles de años y que todavía se usa en el mundo moderno?

Answers will vary. Sample answers include: La rueda, los sistemas de irrigación,

las matemáticas, etc.

_____

2. Cuando tus padres te hablan de cuando ellos eran jóvenes, ¿cómo crees que sus experiencias se relacionan con tu vida? ¿Por qué?

Answers will vary.

_____

_____

B ¿Comprendiste?

Para hablar con un(a) compañero(a)

1. Según Rigoberta Menchú, ¿cómo se deben entender los derechos humanos en su sentido total o integral?
Como el derecho de la sociedad a tener una sociedad civil. Answers will vary.

2. Según la narradora del video, Rigoberta Menchú trabaja para mejorar las condiciones de vida de los maya quiché, y para denunciar los abusos contra los pueblos indígenas en todo el mundo. ¿Cómo creen que su trabajo relaciona el presente y el pasado?
Answers will vary.

Para escribir

1. ¿A qué grupo indígena pertenece Rigoberta Menchú? ¿De qué país es ese grupo indígena?

Maya quiché, de Guatemala.

2. ¿Qué importante premio recibió Rigoberta Menchú en 1992?

El Premio Nóbel de la Paz.

3. Según Rigoberta Menchú, ¿cómo pueden los jóvenes en las comunidades participar en el destino de Guatemala?

Pueden participar en la vida social, política, económica y cultural.

4. ¿Qué ha hecho Rigoberta Menchú en los últimos años?

Ha iniciado la Campaña Nacional para la Participación Ciudadana.

C **¿Qué sabes ahora?**

¿Puedes pensar en alguien como Rigoberta Menchú, que trata de relacionar el presente y el pasado por medio de su trabajo? ¿Cómo lo hace él o ella?

Answers will vary.

A Anticipación

1. ¿Cuál crees tú que ha sido el invento tecnológico más importante de este siglo? ¿Por qué?

Answers will vary.

2. ¿Cuántos tipos de comunicación ves o usas todos los días? ¿Cuáles son?

Answers will vary.

3. Generalmente, ¿cómo te comunicas con tus amigos? ¿Vas a sus casas? ¿Hablan por teléfono? ¿Se escriben por computadora?

Answers will vary.

B ¿Comprendiste?

Para hablar con un(a) compañero(a)

1. De todos los medios de comunicación que vieron en este segmento, ¿cuál les parece que es el más útil *(useful)*?
Answers will vary.

2. ¿Cuáles de los gestos *(gestures)* que vieron en este segmento usan Uds. con más frecuencia?
Answers will vary.

3. Piensen en los anuncios sobre los medios de comunicación que Uds. ven hoy en día en la tele. ¿Cuál creen que es el anuncio más efectivo? ¿Por qué?
Answers will vary.

Para escribir

1. ¿Dónde ocurre la acción en el primer anuncio? ¿En qué momento del anuncio te diste cuenta *(realize)* de qué se trataba?

En el desierto. Answers may vary. Sample answer: Cuando el hombre escribió el cheque.

2. ¿Cuáles son algunos de los medios de comunicación escritos que se muestran en este segmento? ¿Para qué sirven los letreros *(signs)*?

Answers will vary. Sample answers: Anuncios o letreros para restaurantes, comidas, mapas

o guías para el metro y la ciudad, un anuncio público para mejorar el ambiente. Sirven para

dar información a la gente.

_____

3. ¿Cuáles son algunos de los medios de comunicación que viste en el anuncio "BBmix"?

Answers may vary. Sample answers: Hablando por teléfono. El bebé llorando. El papá

tratando de hacer reír al bebé.

_____

C ¿Qué sabes ahora?

1. De los medios de comunicación que viste en este segmento, ¿cuáles crees que van a durar otros cien años? ¿Por qué?

Answers will vary.

_____

_____

2. Imagina que tienes que crear un anuncio para un medio de comunicación del futuro. Discute con un(a) compañero(a) cuál va a ser ese medio de comunicación y cómo lo van a presentar en el anuncio. Luego, Uds. pueden presentar sus ideas a los otros estudiantes.

Answers will vary.

_____

_____

A Anticipación

1. ¿Imagina que tienes que hacer servicio comunitario. ¿Qué te gustaría hacer para ayudar a la comunidad? ¿Por qué?

Answers will vary.

2. ¿A quién crees que el servico comunitario beneficia, al que recibe la ayuda o al que realiza el servicio comunitario? ¿Por qué?

Answers will vary.

B ¿Comprendiste?

Para hablar con un(a) compañero(a)

1. ¿Por qué creen ustedes que Estreberto Picena, Candy Olavarría y Elizabeth Uriza hacen trabajo comunitario?
Answers will vary.

2. Para Candy Olavarría, servir a la comunidad es una forma de devolverle a la sociedad lo que ésta hace por todos. ¿Están de acuerdo con ella? ¿Por qué?
Answers will vary.

Para escribir

1. ¿Por qué motivo dice Estreberto Picena que ayuda a la gente?

Porque cuando era niño, mucha gente ayudaba a su familia, y su mamá le enseñó a ayudar

a otros.

2. ¿A qué edad comenzó el senador Miguel del Valle a trabajar en organizaciones comunitarias?

A los quince años.

3. ¿Cuáles son algunas de las cosas que los jóvenes hacen para ayudar a la gente?

Answers may vary. Sample answers: distribuir ropa, darles comida, cuidar niños, hacer los

quehaceres de la casa.

4. ¿Qué tipo de trabajo comunitario hace Elizabeth Uriza?

Answers may vary. Sample answers: Elizabeth cuida niños.

C **¿Qué sabes ahora?**

1. Candy Berenice dice que "es una gran responsabilidad el ayudar a otras personas." ¿Estás de acuerdo? ¿Por qué?

Answers will vary.

2. ¿De qué otras maneras puedes ayudar a la gente en tu comunidad o en otras comunidades?

Answers will vary.

3. ¿Qué trabajo te gustaría hacer después de graduarte de la universidad? Ese trabajo, ¿puede beneficiar a otros? ¿De qué manera(s)?

Answers will vary.

Nombre _____

CAPÍTULO 8

Fecha _____

A Anticipación

1. ¿Qué fenómenos inexplicables conoces? ¿Puedes dar algunos ejemplos?

Answers will vary. _____

_____

2. Hay fenómenos que sí son explicables. ¿Puedes pensar en algunos?

Answers will vary. _____

_____

B ¿Comprendiste?

Para hablar con un(a) compañero(a)

1. De los fenómenos que vieron en este segmento, ¿cuál les gustaría visitar? ¿Por qué?
Answers will vary.

2. ¿Cuáles son sus ideas para explicar estos fenómenos? *Answers will vary.*

Las figuras en el Templo de los Danzantes
Las líneas de Nazca

Para escribir

1. ¿Quiénes construyeron las ciudades de Chichen Itzá y Machu Picchu?

Los mayas y los incas. _____

_____

2. ¿Qué representan las cabezas olmecas?

A la persona y al cosmos. _____

_____

3. ¿Qué son los Atlantes?

Estatuas de guerreros. _____

_____

4. ¿Qué tiene de especial el Templo de los Danzantes en Monte Albán?

Está decorado por piedras con extrañas figuras. _____

_____

5. De las líneas de Nazca que viste en este segmento, ¿qué animales puedes identificar?

Answers may vary. Sample answers: pájaro, mono, araña.

_____

C **¿Qué sabes ahora?**

1. ¿Qué otras ciudades antiguas conoces que todavía se conservan?

Answers will vary.

_____

_____

2. Imagina que puedes dejar un objeto que no se descubrirá por mil años. ¿Qué crees que vas a dejar? Explica por qué.

Answers will vary.

_____

_____

3. Muchas veces, cuando hay un fenómeno inexplicable, la gente piensa que puede ser algo hecho o causado por extraterrestres. ¿Qué piensas tú de esto, después de ver el segmento?

Answers will vary.

_____

_____

A Anticipación

1. Imagina que eres el(la) presidente(a) de una gran compañía. Escribe tres cualidades que debes tener para llegar a una posición como ésa.

Answers will vary.

2. Imagina ahora que estás entrevistando a alguien para un trabajo en tu compañía. Escribe tres preguntas que le vas a hacer a esa persona.

Answers will vary.

B ¿Comprendiste?

Para hablar con un(a) compañero(a)

1. En Querétaro, México, Dora Guzmán hace radio y video. ¿Qué les gustaría más hacer a Uds., radio o video? Expliquen por qué.
Answers will vary.

2. ¿Por qué creen que Dora está interesada en proyectos que acerquen las culturas norteamericana y la mexicana?
Answers will vary.

3. Al final del segmento, Dora dice que lo principal para tener éxito en el trabajo es hacer lo que a uno le gusta. ¿Están de acuerdo? ¿Por qué? ¿Creen Uds. que hay otras cosas que deben ser consideradas?
Answers will vary.

Para escribir

1. ¿Qué crees que es una radionovela?

Una radionovela es teatro en radio.

2. ¿Cuál fue uno de los primeros trabajos de Dora?

Asistente de producción.

C ¿Qué sabes ahora?

Imagina que hoy tienes una entrevista para un trabajo que a ti te interesa mucho.
Piensa y escribe tres cosas que harías para causar una buena impresión en la entrevista.

Answers will vary. _____

_____

_____

A Anticipación

1. ¿Cómo se puede enseñar a los (las) muchachos(as) jóvenes a defenderse contra la violencia?

   Answers will vary.

2. ¿Cuáles crees que son las causas principales de la violencia entre muchos jóvenes que viven en la ciudad? ¿Por qué crees que hay pandillas *(gangs)*?

   Answers will vary.

3. ¿Crees que el fácil acceso a las armas contribuye a la violencia? ¿Por qué?

   Answers will vary.

4. ¿Crees que la censura de la música y la televisión puede ayudar a controlar la violencia? ¿Por qué?

   Answers will vary.

B ¿Comprendiste?

Para hablar con un(a) compañero(a)

1. ¿Están de acuerdo con la doctora Rosa Subero cuando ella dice que la televisión contribuye a la violencia? ¿Por qué?
   Answers will vary.

2. Una de las personas entrevistadas dice que una de las soluciones para la violencia es la educación. ¿De qué manera creen ustedes que la educación puede reducir la violencia? Expliquen o den ejemplos.
   Answers will vary.

Para escribir

1. ¿Qué nota media le dio la *American Medical Association* al progreso de la violencia en Estados Unidos?

   Una "D"

2. ¿Por qué se ha interesado la doctora Rosa Subero en el tema de la violencia?

   Porque hay muchas pandillas (en el área) donde ella trabaja.

3. Según las estadísticas que viste en el video, ¿cuál es una de las cinco causas principales de la mortalidad en los jóvenes?

El homicidio. _____

4. Según una de las personas entrevistadas, ¿cuál es una de las causas de la violencia entre los jóvenes?

Answers may vary. Sample answer: Que los jóvenes no tienen muchas opciones. _____

_____

5. ¿Cuál es el porcentaje de los homicidios que se debe a la violencia de las pandillas?

Entre el 10 y el 30%. _____

6. Según una de las personas entrevistadas, ¿cómo pueden los padres ayudar a controlar la violencia?

Answers may vary. Sample answer: Enseñar a sus hijos qué es la violencia y cómo

protegerse de ella. _____

C ¿Qué sabes ahora?

Imagina que vas caminando por la calle y ves a dos de tus amigos que están discutiendo. Rápidamente uno de ellos saca una pistola. ¿Cómo puedes ayudar a que el conflicto se resuelva sin recurrir a la violencia?

Answers will vary. _____

_____

_____

_____

A Anticipación

1. Por su gran cantidad de inmigrantes, a Estados Unidos se le ha llamado un crisol *(melting pot)*. Los hijos de inmigrantes son una combinación de dos o más culturas. ¿Tú eres parte de dos o más culturas? ¿De cuáles?

Answers will vary.

2. ¿Cuáles crees tú que son las culturas predominantes en Estados Unidos?

Answers will vary.

3. ¿Cómo crees que las distintas culturas se manifiestan en la comida? Da algunos ejemplos de comidas que creas que son una combinación de diferentes culturas.

Answers will vary.

B ¿Comprendiste?

Para hablar con un(a) compañero(a)

1. ¿De qué manera creen que las distintas culturas de Hispanoamérica se manifiestan en la apariencia de sus habitantes?
Answers will vary.

2. En el trío de vallenato que viste, ¿cuáles crees tú que son las principales influencias culturales en este tipo de música? En este trío, ¿qué cosa(s) indica(n) la presencia de varias culturas?
Answers will vary.

Para escribir

1. Según el video, Hispanoamérica es una combinación de tres grandes culturas. ¿Cuáles son estas culturas?

Indígena, europea y africana.

2. En los ejemplos que viste de la arquitectura de España y de Perú, ¿cuáles son las grandes influencias culturales?

Musulmana, judía y cristiana.

3. Según lo que viste en el video sobre la comida, ¿qué frutas o platos reconoces?

Answers will vary.

153

Nombre _____

CAPÍTULO 11

Fecha _____

C ¿Qué sabes ahora?

1. ¿Crees que pertenecer a dos o más culturas tiene ventajas o desventajas? ¿Por qué?

Answers will vary. _____

_____

_____

2. Según el video, la fusión de culturas se ve en las personas, la arquitectura, la comida, las celebraciones y la música. Piensa en otros aspectos de la vida que muestran la presencia de la mezcla de culturas. ¿Puedes dar unos ejemplos?

Answers will vary. _____

_____

_____

A Anticipación

1. Imagina que estás de vacaciones en Ecuador. Anota tres cosas para las que usarías tus conocimientos del español.

Answers will vary.

_____

2. En el Capítulo 7, conociste a Miguel del Valle, un puertorriqueño que vive en Chicago. Él es senador estatal de Illinois y habla inglés y español. ¿Por qué crees que para él es importante hablar español?

Answers will vary.

_____

3. Si tuvieras oportunidad de aprender otro idioma, ¿cuál escogerías? ¿Por qué?

Answers will vary.

_____

B ¿Comprendiste?

Para hablar con un(a) compañero(a)

1. El narrador dice que con los adelantos de la tecnología, las barreras, o diferencias, están desapareciendo. ¿Están de acuerdo? ¿Por qué?
Answers will vary.

2. Según el video, ¿de qué manera saber otro idioma nos ofrece más oportunidades de trabajo?
Trabajar en otros países; trabajar en organizaciones internacionales como las Naciones Unidas; trabajar con gente que habla otro idioma.

Para escribir

1. Según el narrador, ¿en qué se está convirtiendo el mundo a principios del siglo XXI?

En una sociedad global.

2. Según el video, ¿a qué nos ayuda conocer otros idiomas?

A comunicarnos y a entendernos.

_____

3. En el video viste a una profesora que enseña español a estudiantes de muchos países. ¿Recuerdas qué es lo que más le gusta a ella de enseñar otro idioma?

Que ha conocido a gente de muchos lugares.

_____

C **¿Qué sabes ahora?**

1. Si por la tecnología el mundo se está haciendo más pequeño y nos podemos comunicar mejor, ¿cuál crees tú que se ha convertido *(become)* en el idioma más importante? ¿Por qué?

Answers will vary.

_____

_____

2. En las Naciones Unidas, hay intérpretes para seis idiomas principales. ¿Sabes cuáles son? ¿Crees que deberían incluir más idiomas principales o deberían tener un solo idioma? ¿Por qué?

Answers will vary.

_____

_____

Tapescript

PASODOBLE

1 Audio Activities, p. 91, Actividad P.1.
(Use after p. 25.)
2:27 Counter no. ___

Unos estudiantes hicieron una lista de las mejores excusas para usar en la escuela. Mientras escuchas cada una, escribe el número de la excusa debajo del dibujo correspondiente. Se repetirá cada excusa.
1. Ay, perdón por llegar tarde. Es que mi reloj pulsera se rompió.
2. Hice la tarea, profesora, pero mi hermanito la puso en el buzón.
3. ¿La tarea? No lo va a creer, profesora Márquez, ¡pero el perro se la comió!
4. Salí de mi casa temprano, ¡pero había mucho tráfico!
5. ¡Mi tarea se perdió en la computadora! No pude hacer nada.

Audio Activities, p. 91, Actividad P.2.
(Use after p. 25.)
3:14 Counter no. ___

¿Cuánto español recuerdas del año pasado? Escucha las siguientes preguntas agrupadas por categoría y escribe tus respuestas en la tabla. Al final, calcula cuántos puntos tienes.
1. Empezamos con las preguntas de veinticinco puntos. La primera pregunta tiene que ver con la escuela. Número uno: ¿qué usas para escribir en la clase de matemáticas?
2. En la categoría de ropa: ¿qué usas en los pies, encima de los calcetines?
3. ¿En qué mes se celebra la Navidad?
4. ¿Qué te vende un agente de viajes para que puedas ir de viaje?
5. Ahora por cincuenta puntos: ¿en qué clase estudias triángulos y cuadrados?
6. ¿Qué clase de zapatos son más informales, los de tacón alto o los mocasines?
7. ¿Cuál es la comida tradicional para el Día de Acción de Gracias?
8. ¿Qué documento se necesita para ir a otro país?

Audio Activities, p. 92, Actividad P.3.
(Use after p. 25.)
3:38 Counter no. ___

¿Te gustan los juegos de palabras? Completa las siguientes analogías *(analogies)* escribiendo la respuesta en la línea.
1. Enero es al invierno como mayo es a . . .
2. La carne es a la carnicería como el pan es a . . .
3. Despertarse es a la mañana como dormirse es a . . .
4. Los guantes son a las manos como la gorra es a . . .
5. La pelota es al golf como la raqueta es al . . .
6. Frida Kahlo es al arte como Beethoven es a . . .
7. El pájaro es al aire como el pez es al . . .
8. El pupitre es al estudiante como el escritorio es a . . .
9. El aire acondicionado es al verano como la calefacción es al . . .
10. El piloto es al avión como el chofer es al . . .

Audio Activities, p. 92, Actividad P.4.
(Use after p. 25.)
1:46 Counter no. ___

Piensa en los títulos de tus canciones favoritas. ¿Con qué palabra crees que empieza la mayoría de las canciones populares? Piensa en tu respuesta en inglés y después escríbela en español. Luego escucha las respuestas en el casete para verificar tus respuestas.
1. ¿Con qué palabra empieza la mayoría de las canciones populares? *Con la palabra "yo"*
2. *Con la palabra "mi"*
3. *Con la palabra "soy"*
4. *Con la palabra "cuando"*
5. *Con la palabra "tú"*

CAPÍTULO 1

1 Vocabulario para comunicarse
Text, pp. 30–31.
6:58 Counter no. ___

2 Audio Activities, p. 93, Actividad 1.1.
(Use after *Vocabulario para comunicarse*, p. 31.)
3:09 Counter no. ___

Es lunes y los estudiantes están hablando en la cafetería sobre su fin de semana. Para cada diálogo, identifica los nombres y escríbelos debajo del dibujo correspondiente. Se repetirá cada diálogo.

1. —El sábado invité a Carla Quintana al cine. Mi hermano me llevó en su coche, pero yo estaba muy nervioso porque yo no sabía llegar a su casa y ya era muy tarde.
   —¿Y llegaste a tiempo, Paco?
   —No. Llegué media hora tarde. Lo bueno es que Carla es muy paciente. En vez de enojarse conmigo, ella me esperó leyendo un libro.

2. —Este fin de semana mi primo José se mudó al otro lado de la ciudad.
   —¡Vaya, Bertha! Ya sé qué hiciste tú este fin de semana. Le ayudaste a José a mudarse, ¿verdad?
   —¡Qué va! Este fin de semana fui a la casa de mi abuela para esconderme. No soy muy trabajadora y no le ayudé a José para nada.

3. —¡Hola, Toño! ¿Qué te pasa?
   —Bueno, es que normalmente mi hermana María y yo nos llevamos bien, pero el viernes fui muy incomprensivo con ella.
   —¿Discutiste con ella?
   —No, María estaba muy triste y yo no le hice caso.

3 Tema para investigar
Text, pp. 36–37.
4:25 Counter no. ___

4 Audio Activities, p. 94, Actividad 1.2.
(Use after *Tema para investigar*, p. 39.)
3:40 Counter no. ___

Escucha a estos jóvenes hablar sobre sus actividades extracurriculares. Después, escribe el número del diálogo debajo de la ilustración correspondiente.

1. ¡Hola! Mi nombre es Petra, yo soy muy sociable y me gusta relacionarme con toda la gente. Por eso, me gusta ir a fiestas los fines de semana y vestirme a la moda. Mis amigos dicen que soy una vanidosa, pero la verdad es que para vestirme bien, todas las mañanas tengo que levantarme muy temprano a trabajar. Yo reparto el periódico.

2. ¡Hola! Yo soy Arturo. A mí me encanta la música. Desde niño, mi mamá me enviaba a tomar clases particulares de piano. Ahora que estoy en la secundaria me gusta compartir con los demás lo que sé. Los lunes por la tarde doy clases de piano a los niños del orfanato.

3. ¡Hola! Me llamo Antonio. Por ahora, pienso más en conservar el medio ambiente que en ahorrar dinero. Todos los martes y jueves trabajo como voluntario en un centro de reciclaje.

4. Mi nombre es Lorena. Soy aficionada a la literatura y escribo para el anuario. En el verano, soy ayudante en la redacción del periódico donde trabaja mi papá. No me pagan mucho dinero, pero me gusta el trabajo.

5 Audio Activities, p. 94, Actividad 1.3.
(Use after *Gramática en contexto*, p. 49.)
2:53 Counter no. ___

La profesora les está pidiendo a los estudiantes que juntos hagan una lista de recomendaciones para que funcione mejor la clase. Mientras escuchas cada recomendación, decide si la recomendación es de la profesora o del estudiante. Luego, escribe el número de la recomendación en el lugar correspondiente de la tabla.

1. Entrega la tarea a tiempo.
2. Entienda que también tenemos otras clases.
3. Cuida tu libro.
4. Explique paso a paso.
5. Llévate bien con tus compañeros.

6. Haz tu tarea con cuidado.
7. Repita la tarea o escríbala en la pizarra.
8. No molestes a nadie cuando sales de la sala de clases.
9. Escriba muchos ejemplos en la pizarra.
10. Respéteme.

Audio Activities, p. 95, Actividad 1.4.

(Use after *Gramática en contexto*, p. 49.)
6:11 Counter no. ___

Algunos estudiantes hicieron actos de bondad *(kindness)* durante el año escolar. El director va a decir unas palabras de reconocimiento *(acknowledgment)* en el auditorio de la escuela. Mientras escuchas al director, encierra en un círculo la razón *(reason)* por la que nombra a cada estudiante.

Hoy nos encontramos reunidos en el auditorio para reconocer a los estudiantes que durante el año escolar hicieron actos de bondad . . . ellos son:

1. Diana Cartaya. La consejera Martínez nos dijo que una estudiante muy comprensiva le compró un almuerzo en la cafetería y se lo llevó a su oficina cuando ella estaba tan ocupada que no podía ir a la cafetería. La consejera también nos dijo que el almuerzo estuvo delicioso.

2. Miguel Delgado. Una señora vieja del asilo llamó a la escuela para dar las gracias porque un joven le regaló unas rosas el Día de las Madres. Explicó que hacía más de treinta años que no recibía rosas. Éste fue un verdadero acto de bondad.

3. Eva Pacheco. Nos enviaron una carta del orfanato y en ella describían la bondad de Eva. Ella les regaló a los niños del orfanato cinco muñecas que ella hizo. Algunos niños estaban enfermos y recibieron las muñecas con mucha alegría.

4. Gustavo Borja es un joven muy modesto. Muchos de Uds. no lo conocen porque sólo hace un mes que asiste a nuestra escuela. Los fines de semana trabaja como voluntario en un asilo. Comparte con la gente vieja su tiempo: les lee libros.

5. Delia Martínez es una muchacha muy tranquila y comprensiva. Trabaja como voluntaria en la campaña de reciclaje de la comunidad. Ya muchos estudiantes la admiran por su trabajo y siguen su ejemplo. Ahora ella va a ayudarnos con la campaña de higiene en la escuela.
Estamos muy alegres de tener a estos jóvenes en nuestra escuela.

Audio Activities, p. 95, Actividad 1.5.

(Use after *Gramática en contexto*, p. 49.)
5:17 Counter no. ___

Hay muchas opiniones sobre lo bueno y lo malo de cada mes del año. Al escuchar cada opinión, decide a qué mes corresponde y escribe el número de la oración después del mes.

1. Lo único bueno de este mes es que empieza la estación de fútbol americano. Lo peor es que comienzan las clases.

2. Lo más bonito de este mes es que se considera el mes del amor y la amistad. Lo triste es que el mes es muy corto; sólo tiene veintiocho días.

3. Lo bueno de este mes es que podemos comprar y recibir muchos regalos mientras cae la nieve. Lo malo es recibir las cuentas de las tarjetas de crédito.

4. —Lo más divertido de este mes es llevar un disfraz para que nadie te reconozca en la fiesta.
—¿Qué tal, Eloisa? ¡Qué buen disfraz!
—Lo malo es que muchos saben quién eres.

5. Lo bueno de este mes es hacer resoluciones para cambiar nuestros malos hábitos . Lo malo es que casi nadie hace las resoluciones.

6. Lo mejor de este mes es la graduación. Lo peor es tener que buscar trabajo.

7. Lo más sabroso es la cena aunque sea una vez al año; además, es una oportunidad para reunir a toda la familia. Lo malo es que siempre comemos demasiado y después nos duele el estómago.

8. Lo más emocionante de este mes es ver los fuegos artificiales por el Día de la Independencia. Lo malo es que son peligrosos y uno puede quemarse.

CAPÍTULO 2

1 Vocabulario para comunicarse
Text, pp. 62–63.
6:17 Counter no. ___

2 Audio Activities, p. 96, Actividad 2.1.
(Use after *Vocabulario para comunicarse*, p. 67.)
6:00 Counter no. ___

Algunas personas prefieren vivir en la ciudad, otras en las afueras y otras en el campo. Escucha las opiniones y señala *(mark)* con una X la columna apropiada que corresponda a la opinión de cada persona.

1. ¡Hola! Me llamo Juan Robles y estudio en la secundaria. Soy una persona muy animada y disfruto los lugares llenos de gente. A mi papá no le gusta el ruido y quiere que nos mudemos a un lugar más tranquilo. En cambio mi mamá quiere quedarse aquí porque hay más oportunidades de trabajo y educación.

2. Yo soy Marta y a mí me gusta vivir aquí. Siempre quería tener una casa preciosa con un bello jardín y una cerca de madera. Aquí todo es perfecto para mi familia. Estamos cerca de la ciudad para eventos culturales, y también mi hijo se siente seguro caminando a la escuela. Los ciclistas y los peatones son más importantes que los coches y los autobuses.

3. Mi nombre es Gustavo y soy soltero. A mí me gusta ir a bailar a lugares con música en vivo y llenos de gente animada. Quiero que los restaurantes estén abiertos hasta las dos de la mañana. No necesito tener ni jardines ni mucho espacio.

4. Me llamo Olivia. Siempre me levanto muy contenta con el canto de los pájaros. Mi vecino tiene vacas y gallinas y me regala leche y huevos. Por la noche me gusta observar las estrellas. Después me voy a dormir con el ruido de los insectos. Durante el día me encanta observar la naturaleza porque somos parte de ella y en otros lugares no se puede observar la naturaleza por la contaminación.

5. ¡Hola! Yo soy Adolfo. Hoy día, gracias a las autopistas y los metros no es necesario vivir en la ciudad. A mí me gustan los coches, pero prefiero usar el transporte público para ir a mi trabajo; sólo tardo 30 minutos en llegar. ¡El transporte público es una maravilla! Además puedo leer el periódico mientras llego a la ciudad.

3 Tema para investigar
Text, pp. 68–69.
6:05 Counter no. ___

4 Audio Activities, p. 96, Actividad 2.2.
(Use after *Tema para investigar*, p. 71.)
5:42 Counter no. ___

"Sabelotodo" es un juego por teléfono muy popular que está de moda. La categoría del día de hoy es "Ciudades y estados de los Estados Unidos." Escucha la pregunta y marca el número 1, 2 ó 3 de tu teléfono para responder a la pregunta. Escribe el número en la tabla para que recuerdes tu respuesta.

1. ¿Cuál es la ciudad que tiene el área más grande de los Estados Unidos?
   uno: La ciudad de Oklahoma City, Oklahoma.
   dos: La ciudad de Anchorage, Alaska.
   tres: La ciudad de Houston, Texas.

2. ¿Cuál es la ciudad de los Estados Unidos que tuvo más residentes nuevos en los últimos años?
   uno: La ciudad de Plano, Texas.
   dos: La ciudad de Honolulu, Hawaii.
   tres: La ciudad de Moreno Valley, California.

3. ¿Cuál es el nombre más común de una calle en los Estados Unidos?
   uno: Park Street
   dos: Maple Street
   tres: Second Street

4. ¿En qué ciudad de los Estados Unidos se encuentra el hotel más grande del país?
   uno: En Las Vegas, Nevada.
   dos: En Nueva York, Nueva York.
   tres: En Los Ángeles, California.

5. ¿Qué ciudad tiene más rascacielos?
   uno: La ciudad de Houston, Texas.
   dos: La ciudad de Nueva York, Nueva York.
   tres: La ciudad de Chicago, Illinois.

6. ¿En qué estado está el puente más largo de los Estados Unidos?
   uno: En California.
   dos: En Nueva York.
   tres: En Missouri.

7. ¿En qué ciudad está la biblioteca más grande de los Estados Unidos?
   uno: En Washington, D.C.
   dos: En Cambridge, Massachusetts.
   tres: En Nueva York, Nueva York.

5 Audio Activities, p. 97, Actividad 2.3.

(Use after *Gramática en contexto*, p. 83.)

3:58 Counter no. ___

Todos recordamos con nostalgia algunos momentos de nuestra vida. Mientras escuchas a esta gente hablar sobre algunas décadas en particular, señala *(mark)* con una X la columna que corresponda a la década correcta.

1. Cuando yo era joven, en la década de los treinta, íbamos al cine a ver películas en blanco y negro. ¡A mí me encantaban esas películas tan bellas, tan sanas!

2. Cuando yo era muchacha en los sesenta, no queríamos guerra. Queríamos sólo amor y paz y teníamos conciertos en el campo.

3. Cuando yo era joven, en los cincuenta, mi mamá no trabajaba fuera de la casa y vivíamos en las afueras. Recuerdo que a mi mamá no le gustaba el *rock and roll* que nosotros escuchábamos. Para ella, el *rock and roll* eran ruidos molestos.

4. En los setenta, preferíamos bailar y escuchar música disco. ¡Las discotecas siempre estaban llenas de gente!

5. En los años veinte, cuando yo era niña, jugábamos con muñecas de papel, cortándolas con mucho cuidado y diciendo qué vestido era el más bonito.

6. En los años cuarenta después de la guerra todos nos sentíamos felices de estar reunidos con nuestras familias.

Audio Activities, p. 97, Actividad 2.4.

(Use after *Gramática en contexto*, p. 83.)

3:16 Counter no. ___

Los estudiantes invitaron a una señora mexicana a la sala de clases a hablar sobre su vida. Mientras escuchas la entrevista, identifica en cada frase el verbo en el tiempo imperfecto y escríbelo en la línea.

1. Bueno, para comenzar, yo nací en 1928, y desde los cuatro años siempre soñaba con ser profesora.

2. Yo era la profesora de todos mis animales de peluche, y un día mi madre llegó a nuestra clase y me preguntó, "¿Por qué no estudias para profesora de verdad?"

3. Es que a mí me gustaba más ir al cine que estudiar y por eso nunca fui a la universidad.

4. Recuerdo muy poco del campo donde nací, pero sé que siempre disfrutaba de la naturaleza.

5. Después de que mi padre peleó en la Revolución Mexicana, nos vinimos a Chicago porque mi madre quería una vida más tranquila.

6. En Chicago tuve un trabajo cuidando niños y por las noches estudiaba hasta que ¡por fin me gradué el año pasado de profesora!

Audio Activities, p. 98, Actividad 2.5.

(Use after *Gramática en contexto*, p. 83.)

5:44 Counter no. ___

Pasaron tres semanas desde que el nuevo director llegó a tu escuela y ya se siente un gran cambio en la escuela. En la cafetería se reunió el consejo estudiantil para hablar de los cambios. Después de cada una de las siguientes frases, escribe el nombre de la persona que la dijo.

—Buenas tardes. Mi nombre es Malena y soy la presidenta del consejo estudiantil. La escuela ha cambiado bastante desde que llegó el nuevo director, ¿verdad, Arturo?

—¡Claro! Antes, los pasillos estaban muy animados. Podíamos correr para llegar a la clase a tiempo. Ahora, gracias a las nuevas reglas del director, tenemos que caminar como tortugas a las salas de clase. Noemí, ¿por qué no te presentas al grupo para dar tu opinión?

—Bueno. Mi nombre es Noemí Montes. Antes podíamos comer durante la clase. No me gustaba porque durante los exámenes mis compañeros hacían mucho ruido comiendo. Ahora se prohíbe comer en las salas de clases. Para mí está bien. ¿Me entiendes, Alfredo?

—Sí, pero hay otro problema. Antes podíamos salir de la escuela durante el almuerzo para comprar una hamburguesa en algún restaurante cercano. Ahora es diferente. Se prohíbe salir durante el almuerzo. Nos quedamos en la cafetería con las puertas cerradas. Y la comida es horrible. ¿Y tú, Rosario?

—Bueno, la comida nunca me ha molestado. Lo peor para mí es que ahora tenemos cuatro clases de noventa minutos cada una. ¡Las clases son demasiado largas! Antes teníamos seis clases de cincuenta minutos cada una. Noventa minutos con el profesor López . . . ¡me quedaré dormida!

—¿Hay alguna opinión más?

—Sí. Mi nombre es Rodolfo. Antes las salas de clases estaban decoradas. A los estudiantes nos gustaba cómo se veía la escuela. Pero ahora el director mandó quitar todas las decoraciones de las salas de clases.

—Perdón. Mi nombre es Francisco y no estoy de acuerdo con Uds. Yo creo que lo que el director ha hecho es más positivo que negativo. La escuela está muy animada. No digo que todo sea una fiesta, pero hay un ambiente de energía académica.

6 Fondo literario

El vendedor de globos
Text, pp. 436–439.
6:51 Counter no. ___

CAPÍTULO 3

1 Vocabulario para comunicarse

Text, pp. 96–97.
5:09 Counter no. ___

2 Audio Activities, p. 99, Actividad 3.1.

(Use after *Vocabulario para comunicarse*, p. 101.)
3:57 Counter no. ___

Tus amigos y tú deciden visitar el Museo del Prado el domingo; pero al llegar, el museo está muy lleno de gente y hay sólo una grabadora para escuchar la explicación de la exposición de Diego Velázquez. Tus amigos deciden que tú escuches la explicación y después se la digas. Toma notas mientras escuchas, pero sólo escribe lo que consideres más importante de la grabación.

1. ¡Bienvenidos al Museo del Prado! Diego Velázquez de Silva es una de las grandes figuras del arte universal y en este recorrido presenciaremos la mayor colección de sus obras. También podremos interpretar los temas y admirar su obra artística. Velázquez usó con maestría la forma y el uso de los colores para sugerir situaciones. Después de pintar a Felipe IV, tuvo mucho éxito en la Corte. Ahora apague la grabadora, camine a la siguiente galería y al llegar enciéndala otra vez.

2. En esta galería, el cuadro que está en el centro es una de las obras más importantes de Velázquez. Se llama *Las Meninas*. Ésta es una hermosa pintura de tonos apagados. *Las Meninas* es un retrato. En el primer plano está una niña junto a sus criadas, una de ellas está de perfil. El artista está de pie a la izquierda con el pincel en una mano y la paleta en otra. El artista de la pintura parece que mira al espectador, pero en realidad Velázquez ve a unas personas que están reflejadas en el espejo del fondo.

3 Tema para investigar

Text, pp. 102–103.
6:12 Counter no. ___

4 Audio Activities, p. 99, Actividad 3.2.

(Use after *Tema para investigar*, p. 105.)
6:47 Counter no. ___

Escucha los anuncios en la radio para una exposición en Nueva York y otra en Chicago. Después, escucha las preguntas y encierra en un círculo la respuesta correcta.

El Museo de Arte Moderno de Nueva York te invita a conocer la obra de Salvador Dalí. Ven al museo y disfruta de esta colección de más de 50 obras originales. *La persistencia de la memoria* es una obra del surrealismo producto del subconsciente del artista. Dalí transforma maravillosamente el tiempo, o los relojes, en objetos blandos y suaves. El tema es la realidad transformada a partir de un sueño. Dalí, cuyo trabajo contribuyó al movimiento surrealista nos presenta su obra con un realismo impresionante, casi fotográfico. La pintura de Dalí influyó a pintores en el mundo entero y ahora Ud. podrá admirarlo en el Museo de Arte Moderno de Nueva York.

1. ¿A qué movimiento perteneció Salvador Dalí?
2. Según el comercial de radio, la pintura *La persistencia de la memoria* es producto del . . .
3. ¿Cómo son los relojes del cuadro de Dalí?

El quince de noviembre se abrirá al público una exposición de Pablo Picasso en el Instituto de Arte de Chicago. Las pinturas representan las épocas más importantes del artista. En su primera etapa, encontramos la influencia de los impresionistas. Después, Picasso fundó un estilo nuevo, junto con Braque, llamado cubismo. El pintor utilizó las formas geométricas para crear objetos, figuras y paisajes casi abstractos. Las imágenes de Picasso representan varios puntos de vista, no sólo estéticos sino políticos también. En *El Paisaje*, las imágenes son abstractas, el mensaje es estético. El pintor comienza con el placer de la vista y lo transforma con su imaginación. El valor de esta exposición es incosteable. Ven al Instituto de Arte de Chicago y nunca olvidarás esta experiencia.

4. ¿Qué estilo fundó Pablo Picasso?
5. Las imágenes de la pintura de *El Paisaje* son . . .
6. ¿Qué tipo de mensaje transmite Picasso en la pintura *El Paisaje?*

5 Audio Activities, p. 100, Actividad 3.3.
(Use after *Gramática en contexto*, p. 115.)
2:42 Counter no. ___

Marco tiene tres carteles de pinturas famosas y le pide a su hermana Claudia que le ayude a ponerlos en las paredes de su cuarto. Mientras escuchas la conversación, identifica el pretérito del verbo *poner* y escríbelo en la línea.

1. ¡Qué cansada estoy, Marco! Me puse los zapatos de tacón alto y caminamos todo el día. Sólo quiero ponerme cómoda y dormir.
2. No, no te duermas, Claudia. Primero tienes que ayudarme con la decoración de mi cuarto. Hay que poner los carteles en la pared. ¡Tú me lo prometiste! ¿Dónde puse la regla?
3. Allí está. ¿Dónde pusiste los carteles?
4. No recuerdo. Creo que los puse en la sala.
5. En la sala no están. Pregúntale a mamá si ella los puso en otra parte.
6. Ella no los movió, pero dice que nosotros los pusimos en la mesa del comedor.
7. ¡Es cierto! Ahora recuerdo. Lo que pasó fue que entraron las gemelas y se pusieron a jugar en la sala. Por eso pusimos los carteles en la mesa del comedor.
8. Muy bien. Hay que ponerlos en la pared. La vez pasada los pusimos en la puerta.

Audio Activities, p. 100, Actividad 3.4.
(Use after *Gramática en contexto*, p. 115.)
6:27 Counter no. ___

La profesora de la clase de arte invitó a un pintor famoso a la clase para hablar sobre arte y las influencias en su obra. Escucha la entrevista y luego contesta las preguntas. Encierra en un círculo la respuesta correcta.

—Quiero agradecer al artista Jesús Acuña por aceptar nuestra invitación a la sala de clase. Rosa y Paty van a entrevistarlo. Y hablaremos sobre las influencias de los pintores y sus contribuciones al mundo del arte.

—Gracias por la invitación. La profesora me dijo que antes de que yo llegara a su clase, Uds. fueron al museo de arte a ver una exposición de pintura española. ¿De quién fue la idea de ir al museo?

—Mi nombre es Rosa y la idea fue de Paty y mía.

—Ésa fue muy buena idea porque dos de los pintores que Uds. vieron en la exposición influyeron mucho en mi trabajo.

—¿Qué pintores españoles contribuyeron a su formación artística?

—Diego Velázquez de Silva y Salvador Dalí.

—¿Cree que las pinturas de María Izquierdo contribuyeron a un movimiento en especial?

—Sí. María Izquierdo contribuyó al movimiento surrealista latinoamericano.

—¿Sabe quiénes influyeron a Diego Rivera en su período cubista?

—Sí, fue Pablo Picasso y Braque. Aunque Picasso influyó más a Rivera.

—¿Y alguna vez Ud. influyó a otra persona para que quisiera ser pintor o pintora?

—Yo creo que sí. En una ocasión fui juez en un concurso de pintura de una secundaria. Y le dije a la ganadora que su trabajo era muy bueno y que se dedicara a la pintura. Ahora yo les quiero hacer una pregunta. ¿Quién contribuyó en la elaboración del mural de la escuela?

—De esta clase de arte sólo Rosa y yo contribuimos. Pero lo pintamos estudiantes de diferentes clases.

Audio Activities, p. 101, Actividad 3.5.
(Use after *Gramática en contexto*, p. 115.)
1:37 Counter no. ___

Cuando tu clase visitó el museo de arte, tú sacaste unas fotos. Ahora mira las fotos y recuerda lo que la gente estaba haciendo. Escucha las oraciones y escribe el nombre de la persona o personas debajo del dibujo correspondiente.

1. Miguel y Adolfo estaban caminando.
2. Lety estaba dibujando.
3. Marco y Lupe estaban pintando un mural.
4. María estaba descansando.
5. La familia estaba mirando una pintura.

CAPÍTULO 4

1 Vocabulario para comunicarse
Text, pp. 128–129.
5:10 Counter no. ___

2 Audio Activities, p. 102, Actividad 4.1.
(Use after *Vocabulario para comunicarse*, p. 133.)
3:33 Counter no. ___

¿Tienes una videocasetera? ¿Para qué la usas? Mientras escuchas a estas personas explicar para qué usan la suya, escribe el número del diálogo debajo de la ilustración correspondiente.

1. Yo tengo tres niños de edad preescolar. Los fines de semana nos gusta alquilar películas aptas para toda la familia. Este fin de semana vamos a ver una película musical.
2. En el canal cuatro de televisión por cable, van a dar un concierto. Quisiera verlo, pero es a medianoche y esa hora es demasiado tarde. Mañana tengo que levantarme muy temprano. Mejor voy a grabar el concierto para verlo cuando pueda.
3. Mi telenovela favorita es a las once de la mañana. A esa hora yo estoy en el trabajo. Por eso grabo la telenovela para verla cuando llego de trabajar.

4. —Mira, ya son las siete. Van a dar el partido de básquetbol.
   —Ah, sí, yo también quiero ver ese partido. Oye, pero también quiero ver el noticiero de las siete.
   —Bueno, podemos cambiar de canal cada diez minutos.
   —No, creo que es mejor grabar las noticias mientras vemos el partido de básquetbol.
   —¡Genial!

3 Tema para investigar
Text, pp. 134–135.
5:43 Counter no. ___

4 Audio Activities, p. 102, Actividad 4.2.
(Use after *Tema para investigar*, p. 137.)
6:42 Counter no. ___

Escucha a Paco Chavel, el famoso crítico de cine, dar su comentario sobre los premios "Óscar" y las películas ganadoras de los años pasados. Mientras escuchas, anota en la tabla lo que él dice.

1. —Ahora . . . Paco Chavel, con su comentario sobre los premios "Óscar." Bienvenido, Paco.
   —Gracias, Maricela. En mi opinión, hay demasiado énfasis en los premios. En mi reportaje sobre los premios "Óscar" de los años pasados, he visto un cambio tremendo. Me parece que hoy en día, el mundo del cine es un negocio muy competitivo. Por eso prefiero las películas del pasado.
   —Háblanos sobre las películas que ganaron el "Óscar" en los primeros años. ¿Cuál fue la mejor película de la década de los treinta?
   —La película que ganó el "Óscar" en mil novecientos treinta y nueve fue *Lo que el viento se llevó*, con Vivien Leigh y Clark Gable. Recibió diez premios "Óscar." Con esa película reímos y lloramos.
2. —Sí, la he visto muchas veces. ¿Y en los años cuarenta?
   —Bueno, una de mis favoritas fue *Rebecca*. Ganó el premio en mil novecientos cuarenta. El galán era el gran Laurence Olivier. La película se trata de una joven inocente y un señor triste por la muerte de su esposa. De vez en cuando la pasan en la televisión por cable.

3. —Sí, recuerdo esa película. ¡Es excelente!

—En los años cincuenta, mi película musical favorita, *Un americano en París*, ganó el premio en mil novecientos cincuenta y uno. Se trata de un americano que se queda en París después de la segunda guerra mundial y allí se enamora de una francesa. Me emocionó mucho escuchar la música de Gershwin y ver a Gene Kelly bailar.

4. —En la década de los sesenta, ¿cómo eran las películas?

—Las películas reflejaban la época. Para mí, la película que tuvo más impacto fue *West Side Story*, un símbolo para los rebeldes de los sesenta. Ganó el premio en mil novecientos sesenta y uno. La bella Natalie Wood es la heroína. El argumento es muy similar al de *Romeo y Julieta*.

5. —Bueno, nos queda muy poco tiempo. ¿Nos puede dar su predicción para este año?

—No sé. Es una opinión muy subjetiva. Para mí, un bostezo para las películas de acción. Éste es el año de las comedias.

5 Audio Activities, p. 103, Actividad 4.3.
(Use after *Gramática en contexto*, p. 149.)
6:41 Counter no. ___

En el programa de entrevistas "Opiniones opuestas," Lorenzo Reyes tiene como invitados a dos sicólogos, el Dr. Rivas y la Dra. Tellado. Ellos van a hablar sobre la influencia de la televisión en los niños. En la tabla, toma notas sobre lo que dicen y después decide con cuál de los dos invitados estás de acuerdo.

—Muy buenas noches. Soy Lorenzo Reyes con el programa en vivo, "Opiniones opuestas." Esta noche hablaremos de la influencia de la televisión en los niños. Les presento a la doctora Sandra Tellado y al doctor Rodrigo Rivas. Empecemos con usted, Dra. Tellado. ¿Cómo influyen los programas de televisión en los niños?

—Se ha dicho que la mayoría de los programas les hace daño a los niños. No es verdad. Hay muchos programas educativos y divertidos. El problema no es la influencia de la televisión, sino la falta de influencia de los padres.

—La influencia de los padres es muy importante. Pero el público no tiene ningún control sobre los escritores de los programas. Necesitamos que las personas encargadas de los programas de televisión nos apoyen. Ellos pueden mantener la popularidad del programa sin tantas escenas de violencia. Los niños, después de ver estos programas, piensan que la vida es así.

—Nadie ha comprobado la relación entre la violencia y la televisión. Los padres deben escoger los programas que quieren que sus hijos vean. Ningún padre permite que su hijo coma lo que quiere sin su permiso. Es lo mismo con la televisión. Los padres no deben permitir que sus hijos coman o vean cosas que no son sanas.

—Pero ése es el problema. ¿Cuáles son esas cosas? Los padres necesitan una forma de evaluar los programas. Hasta que sepamos que no hay una relación entre la violencia y la televisión, es importante que haya una manera de clasificar los programas.

—¿Y quién los va a clasificar? Algunos creen que las noticias no deben incluir escenas gráficas de violencia en el noticiero. Yo creo que es una forma de censura si no las muestran. Estos programas no tratan de manipularnos. Tratan de informarnos. Repito, la censura es responsabilidad de los padres, no de los productores de los noticieros.

—Bueno, ha sido muy interesante esta discusion, doctores. Muchas gracias por estar con nosotros. ¿Qué creen ustedes? Llamen al ochocientos-cinco-cinco-cinco-veinticinco-cero-cero para compartir su opinión con nosotros.

Audio Activities, p. 104, Actividad 4.4.
(Use after *Gramática en contexto*, p. 149.)
4:00 Counter no. ___

Cada día, una parte divertida de los anuncios escolares es un reportaje sobre la vida social de un estudiante anónimo. Mientras escuchas cada reportaje, anota en la tabla lo que se dice de cada estudiante anónimo.

1. Para hoy, lunes, escuchen esto: alguien no ha devuelto cinco libros que sacó de la biblioteca desde noviembre del año pasado. Tiene que pagar una multa de treinta y cuatro dólares y cincuenta centavos. ¿Dónde estarán esos libros?

2. La noticia de hoy martes: se dice que alguien no ha abierto su libro de historia en todo el semestre y ahora está muy nervioso. ¿Lo veremos en la ceremonia de graduación? ¡Quién sabe!

3. La noticia para hoy, miércoles: un compañero tuvo que llevar un traje de pirata porque su novia se lo pidió. ¡Nos parece que la quiere demasiado!

4. Ahora, una noticia super-caliente para el jueves: ¡en la hora del almuerzo, una rubia estaba almorzando con su ex novio! Nos emocionó mucho verlos allí, tomados de la mano como antes.

5. Escuchen la noticia del viernes (¡se van a reír!): ¡el joven no pudo encontrar sus pantalones después de su clase de educación física! Tuvo que llamar a su mamá para que le trajera unos pantalones.

Audio Activities, p. 104, Actividad 4.5.
(Use after *Gramática en contexto*, p. 149.)
2:48 Counter no. ___

Los Ramírez van a salir a pasear. Mientras escuchas al Sr. Ramírez queriendo reunir a sus seis hijos, escribe el nombre de cada hijo debajo de la ilustración correspondiente.
   —Lorenzo, ¿qué estás haciendo? ¡Ya vámonos, hijo!
   —¡Espera, papá! No he decidido qué camisa ponerme: la de a rayas o la de a cuadros.
   —Las dos te quedan bien, hijo. ¡Rápido! María Elena. ¿Dónde estás?
   —Aquí estoy en mi cuarto, papá. No me he peinado.
   —Ay, hija. Armando, ¿dónde está Armando?
   —Aquí estoy, papi. No he encontrado mis muñecos.

   —Míralos, aquí están debajo. ¡Nacho! Ya es tarde, hijo. ¿Qué estás haciendo?
   —No he llamado a mi novia. Ella no sabe que no voy a estar toda la tarde. En un momento la llamo, ¿sí?
   —¡Que sea una sorpresa, hombre! ¡Carmen! ¡Juanita!
   —Carmen está en el baño. No se ha duchado. Dice que en cinco minutos sale. Y yo, papi, no me he cepillado los dientes. ¿Tengo que esperar a que salga Carmen del baño?

CAPÍTULO 5

1 Vocabulario para comunicarse
Text, pp. 162–163.
6:20 Counter no. ___

2 Audio Activities, p. 105, Actividad 5.1.
(Use after *Vocabulario para comunicarse*, p. 167.)
5:18 Counter no. ___

Un grupo de estudiantes decidió visitar las ruinas mayas de Palenque. El Dr. Chilam Cruz, un famoso antropólogo, será el guía del grupo. Mientras lo escuchas hablar, escribe la identificación de cada dibujo que el antropólogo mencione en la excursión.
   —Éste es un templo sagrado. Cuando los arqueólogos descubrieron estas ruinas, encontraron una tumba dentro del templo. Este templo es único en toda la civilización maya.
   —¿Y qué había en la tumba?
   —La persona que encontraron en la tumba era muy importante. Los arqueólogos también encontraron vasijas, pequeñas esculturas y objetos de oro y plata.
   —Dr. Chilam, ¿cuál es el significado de estos jeroglíficos?
   —Estos jeroglíficos son parte de la escritura maya. Los mayas desarrollaron un sistema de escritura muy avanzado que tenía cerca de ochocientos símbolos. Pero muy pocos símbolos se han traducido y los mensajes que encierran son un misterio todavía.
   —¿Cuál es el origen de los mayas?

—Los mayas existían mil años antes de Cristo, pero todavía no desaparecen. Hoy en día, gente maya vive en la Península de Yucatán, en Guatemala y en Honduras. Los mayas de hoy heredaron muchas de las tradiciones y ceremonias de sus antepasados, por ejemplo la religión, el idioma, la agricultura y la elaboración de artesanías.

—¿Qué edificio es ése, el de las ventanas pequeñas?

—Los mayas eran grandes arquitectos. Ellos construyeron ese observatorio. Ahí estudiaban los planetas y las estrellas. Ellos también fueron grandes astrónomos en su época.

3 Tema para investigar

Text, pp. 168–169.
7:46 Counter no. ___

4 Audio Activities, p. 106, Actividad 5.2.

(Use after *Tema para investigar*, p. 171.)
3:21 Counter no. ___

Escucha las siguientes oraciones y decide cuáles pertenecen al tiempo pasado, al presente o a los dos tiempos. Pon una *X* en la columna apropiada y que corresponda con cada oración.

1. Pusieron a los líderes ricos en pirámides.
2. En la agricultura, la siembra y la cosecha del maíz son muy importantes.
3. Sacrificaron a personas en ceremonias religiosas.
4. Los jóvenes estudian los antepasados de los mayas.
5. Los mayas de Guatemala hablan español y quiché.
6. Los mayas mantienen su rico legado cultural.
7. En el esplendor de su cultura, el cero fue la mayor contribución a las matemáticas.
8. La tradición maya sigue siendo importante en las pequeñas comunidades.
9. Escribieron con jeroglíficos.
10. Gracias a las estrellas crearon el calendario.

5 Audio Activities, p. 106, Actividad 5.3.

(Use after *Gramática en contexto*, p. 181.)
2:56 Counter no. ___

Armando vive en una pequeña comunidad maya en Honduras. Como parte de la tradición familiar, para desearle suerte con su futura esposa, su familia le habla sobre cosas importantes que él ha hecho. Mientras escuchas a la familia hablar, escoge la frase correcta que habla de Armando.

—Hijo, ahora que te vas a casar es necesario que recordemos algunos momentos que pasamos contigo y que nos hacen sentir muy felices. Hace muchísimo tiempo que no teníamos profesores en nuestra pequeña comunidad. Y tú fuiste el primero, eso nos hizo sentir muy orgullosos a tu madre y a mí.

—Es cierto hijo. Hace diez años que trabajas como profesor y desde entonces nuestra comunidad ha cambiado mucho, gracias a ti.

—No sólo eres profesor, hermano, también ayudaste en la comunidad. Hacía veinte años que no veíamos un gran líder como tú.

—Cuando sea grande yo quiero ser como tú, hermano. Hace tres años que organizas a los trabajadores del campo. Y desde que están organizados nuestra comunidad está mejorando.

—Muchas gracias por sus opiniones y espero que después de casado siga siendo un buen hijo.

Audio Activities, p. 107, Actividad 5.4.

(Use after *Gramática en contexto*, p. 181.)
4:19 Counter no. ___

Verónica regresó muy cansada de la excursión de Chichén Itzá. Al dormirse, ella comenzó a soñar con *(dream about)* la estatua del Chac Mool. Mientras escuchas la conversación, contesta las preguntas que Verónica hace.

—¡Qué bellas pirámides! ¿Quiénes las construyeron?

—Los mayas. Ellos eran grandes arquitectos. Cuando los españoles llegaron a la Península de Yucatán, los mayas ya habían construido grandes ciudades como Chichén Itzá.

—¿Cuál era el alimento principal de los mayas?

—Los mayas ya habían usado la siembra y la cosecha del maíz antes de que los españoles llegaran a Yucatán. El maíz era el alimento más importante de los mayas.

—Sr. Mool, Ud. dijo que los mayas estudiaban las estrellas. ¿En dónde las estudiaban?

—Cuando los conquistadores españoles llegaron a Palenque se dieron cuenta de que los mayas habían construido un maravilloso observatorio de paredes redondas. Y desde ahí observaban las estrellas.

—¿Y quién descubrió la tumba dentro de la pirámide en Palenque?

—Los arqueólogos; aunque hacía mucho tiempo que ya habían trabajado antropólogos en Palenque, los antropólogos nunca descubrieron la tumba.

—Cuando los antropólogos trabajaron en las ruinas de Palenque, ¿ya habían desaparecido los mayas de la región?

—No. La cultura maya no había desaparecido y todavía no desaparece. Hoy en día, hay muchos pueblos mayas en Guatemala, Honduras y México.

Audio Activities, p. 107, Actividad 5.5.
(Use after *Gramática en contexto*, p. 181.)
2:47 Counter no. ___

Mucha gente tiene buenas intenciones para cambiar sus hábitos, pero después de cierto tiempo olvida las buenas intenciones. Escucha a estas personas hablar sobre sus intenciones y escribe en la tabla lo que la persona va a hacer y lo que sigue haciendo.

1. Susana va a dejar de comer azúcar, pero sigue comiendo dulces.
2. Mauricio dice que va a leer más, pero sigue viendo la tele toda la tarde.
3. Elena dice que va a ahorrar dinero, pero sigue comprando ropa y discos compactos.
4. Guillermo va a comer la comida que cocina su mamá, pero sigue comiendo en restaurantes.
5. Ana dice que va a llegar a tiempo a la escuela, pero sigue levántandose tarde todas las mañanas.
6. Margarita dice que va a acostarse más temprano, pero sigue viendo películas hasta la medianoche.

Fondo literario
Quetzal no muere nunca
Text pp. 454–457.
7:00 Counter no. ___

CAPÍTULO 6

1 Vocabulario para comunicarse
Text, pp. 194–195.
7:28 Counter no. ___

2 Audio Activities, p. 108, Actividad 6.1.
(Use after *Vocabulario para comunicarse*, p. 199.)
5:09 Counter no. ___

Mientras escuchas a las siguientes personas tratando de comunicarse, escribe el número de la conversación debajo de la ilustración correspondiente.

1. —¡Hola, Marta! ¿Qué estás haciendo?
   —¡Hola, Vero! Le estoy escribiendo una carta a mi prima que vive en Guadalajara.
   —Ya veo. ¿Y ya le contaste que ganaste el segundo lugar en la competencia de tenis del estado?
   —¡Ay, no le conté! ¡Qué tonta! Se lo voy a escribir en una posdata: "Olvidé contarte algo muy importante: ¡gané el segundo lugar en la competencia de tenis del estado!"

2. —¡Mira, allí viene el cartero! Quizás ahora sí me trae una carta de Ana. ¡Hola, Charlie! ¿Qué hay para mí?
   —¡Hola, señorita! Tengo una carta de México.
   —Gracias, la estaba esperando.

3. —Espere, señorita. También tengo un paquete, con el mismo remitente.
   —¡Es de Ana! Me lo mandó por correo urgente. ¿Qué será?
   —¡Qué rico! ¡Es una caja de chocolates!
   —¿Y qué dice la tarjeta?
   —Dice: "Felicidades a mi querida prima, una gran jugadora de tenis." Ay, tengo que llamarle para darle las gracias.

4. —Operadora. ¿En qué puedo ayudarle?
   —Buenas tardes, operadora. Quiero hacer una llamada de larga distancia.
   —¿A qué país?
   —A México y la ciudad es Guadalajara.
   —¿Cuál es el número, por favor?
   —Es el cinco-cinco-cinco, veintisiete-cuarenta y cinco.

—La línea está ocupada, señorita. ¿Quiere volver a llamar más tarde?

—Sí, gracias.

3 Tema para investigar

Text, pp. 200–201.

5:17 Counter no. ___

4 Audio Activities, p. 108, Actividad 6.2.

(Use after *Tema para investigar*, p. 203.)

4:28 Counter no. ___

Hoy en día existen varios inventos que hacen más fácil la comunicación. Cada conversación que vas a escuchar se trata de un problema que se puede resolver con el uso de alguno de estos inventos. Escribe el número de la conversación debajo del invento correspondiente.

1. —¡Aló!

   —¡Ay, hombre! Por fin contestas. Te he estado llamando todo el día. Quería darte un recado: Maribeth quiere que la llames.

   —¡Qué mala suerte! Necesito que mis amigos puedan dejarme recados.

   —Sí. Así llamas de cualquier teléfono para escuchar tus recados.

2. —Acabo de recibir la notificación del campamento de verano. ¡Será tan divertido!

   —Oye, yo también quiero ir, pero no he mandado el formulario.

   —Hoy es el último día para entregarlo. Si lo manda urgente llega a tiempo. Es necesario que llegue hoy mismo.

3. —Me encanta comunicarme con mis amigos en España.

   —¿Cuánto tarda en llegar una carta de España?

   —Bueno, por vía aérea, puede tardar hasta dos semanas en llegar. Es demasiado lento.

   —Sí, es muy lento. Pero tú tienes una computadora interactiva, ¿verdad? Y si ellos también tienen una se pueden comunicar más rápidamente.

4. —Siempre estoy pensando en mi esposa. Ella es una mujer de negocios y tiene que viajar mucho en coche. Creo que es demasiado peligroso viajar tanto.

   —Sí, te comprendo. Yo creo que te puedes sentir más tranquilo si se comunican desde su coche en caso de emergencia.

   —Claro que sí.

5 Audio Activities, p. 109, Actividad 6.3.

(Use after *Gramática en contexto*, p. 213.)

3:13 Counter no. ___

El Sr. Robles va a mandar un telegrama de Barcelona a Madrid. Llena este formulario mientras escuchas la conversación entre el Sr. Robles y la representante de la oficina de telegramas.

—Ésta es la oficina de telegramas. Si quiere mandar un telegrama dentro de España, marque el uno. Si quiere mandar un telegrama a otro país, marque el dos. Si necesita hablar con la operadora, marque el tres.

—Telegramas Nacionales. A sus órdenes.

—Quiero mandar un telegrama a Madrid.

—¿A qué dirección?

—Calle Zurbano, cincuenta y siete.

—¿Cómo se escribe?

—Zurbano: zeta-u-ere-be-a-ene-o.

—Muy bien. Calle Zurbano, cincuenta y siete. El nombre del destinatario, por favor.

—Armando Cruz Martínez.

—El recado, por favor.

—Llego a las seis de la tarde el once de noviembre.

—Llego a las seis de la tarde el once de noviembre. Bueno. ¿Y el remitente?

—Mauricio Robles.

—Su dirección, por favor.

—Las Ramblas, cuarenta. Aquí, en Barcelona.

—Muy bien, Sr. Robles. Su telegrama llegará esta tarde.

—Muchas gracias.

Audio Activities, p. 109, Actividad 6.4.

(Use after *Gramática en contexto*, p. 213.)

1:23 Counter no. ___

Los niños a veces viven momentos de intensa emoción. Escucha a Lorena reaccionar ante varias situaciones, y escribe el número de lo que dice Lorena debajo de cada dibujo correspondiente.

1. ¡Cómpramelo!
2. ¡Díganmelo!
3. ¡Córtamelo!
4. ¡Dámelo!

Audio Activities, p. 110, Actividad 6.5.

(Use after *Gramática en contexto*, p. 213.)

8:33 Counter no. ___

Escucha a la famosa Doña Sofía dar sus predicciones para los doce signos del zodiaco. Mientras escuchas, llena la tabla de abajo.

1. Muy buenos días, mis queridos amigos. ¿Qué nos trae la próxima semana? Pues estará llena de cambios dinámicos y oportunidades increíbles. Primero, mi querido acuario. Será una buena semana para estar con tu familia y todos se llevarán bien. Resolverás un problema.
2. Y tú, piscis. En los primeros días de la semana podrás concentrarte en tus estudios. Recibirás una invitación a un evento muy divertido.
3. Aries, tendrás algunos problemas con tus amigos. Si eres paciente, los podrás resolver. Después del miércoles serás el centro de atención.
4. Ahora, tauro: tendrás buena suerte toda la semana. Sacarás buenas notas en todos los exámenes. Los días serán muy tranquilos.
5. Geminis. Esta semana querrás un cambio. Llegará una persona a tu vida y vivirás momentos muy intensos.
6. Para cáncer: esta semana serás víctima de un comentario falso. Pero gracias a tu buen carácter, para el fin de semana, todos sabrán que eres inocente.
7. Leo, llegará un amor nuevo y sincero. ¡Pero cuidado! Una persona de tu pasado te traerá problemas.
8. Virgo, tendrás una explosión de energía y terminarás todo lo que empezaste la semana pasada. ¡Pero no trates de hacerlo todo al mismo tiempo!
9. Libra, recibirás una llamada telefónica que te emocionará. Tendrás que hablar en voz baja para que nadie sepa.
10. Escorpión, tendrás que pensar antes de hablar, porque esta semana todos te pedirán consejos.
11. Sagitario, tendrás varios admiradores esta semana y alguien querrá enamorarte. Un amigo te pedirá dinero prestado.
12. Querido capricornio, verás un cambio económico y tendrás que ahorrar dinero. Di "no" cuando quieras decir "sí."

6 Fondo Literario

Una carta a Dios

Text, pp. 458–461.

4:14 Counter no. ___

CAPÍTULO 7

1 Vocabulario para comunicarse

Text, pp. 226–227.

5:31 Counter no. ___

2 Audio Activities, p. 111, Actividad 7.1.

(Use after *Vocabulario para comunicarse*, p. 229.)

3:19 Counter no. ___

Escucha los siguientes anuncios sobre el servicio social. Después escribe el número de teléfono que corresponda a cada ilustración.

1. Mucha gente puede beneficiarse de su ayuda. Colabore con los miles de voluntarios que están ofreciendo ayuda a las víctimas del huracán Felipe. Llámenos al cinco-cinco-cinco, ochenta y cinco-cero-cuatro.
2. Una familia que juega unida, permanece unida. Al pasar los años, su familia se mantendrá unida si nos visita cada semana. Los fines de semana ofrecemos todo tipo de deportes y entre semana ofrecemos una variedad de clases interesantes. Llámenos hoy al cinco-cinco-cinco, cuarenta y cuatro-sesenta y seis.
3. Ponga el bienestar de su ser querido en manos de nuestros especialistas dedicados a las necesidades de los incapacitados. Nosotros entendemos sus problemas. Llame al cinco-cinco-cinco, cero-cero-cuarenta.

3 Tema para investigar

Text, pp. 230–231.

7:18 Counter no. ___

4 Audio Activities, p. 111, Actividad 7.2.

(Use after *Tema para investigar*, p. 233.)

3:14 Counter no. ___

Hay muchas cosas que puedes hacer por tu comunidad. Mientras escuchas las siguientes sugerencias *(suggestions)*, señala con una X qué grupo de la comunidad se beneficia de cada clase de ayuda.

1. Ayuda a una persona en una silla de ruedas a llegar adonde quiere ir.
2. En tu comunidad, solicita votos para el candidato de tu preferencia.
3. Cocina y sirve comida a los que viven en un refugio.
4. Sirve como guía en una excursión para aquéllos que no pueden caminar.

5. Para la próxima campaña electoral, distribuye carteles de tu candidata preferida.
6. Trabaja como voluntario para las olimpiadas de minusválidos.
7. En un refugio, cuida los niños de una mujer mientras ella busca empleo.
8. Ayuda en la campaña para inscribir a los ciudadanos para votar.
9. Solicita donaciones de comida y ropa para el refugio.

5 Audio Activities, p. 112, Actividad 7.3.
(Use after *Gramática en contexto*, p. 245.)
6:52 Counter no. ___

Eduardo está entrevistando a una voluntaria de Habitat for Humanity International. Escoge la respuesta correcta de cada pregunta mientras escuchas la entrevista.

—Buenos días, Sra. Montes, yo me llamo Eduardo Benitez. Me interesa mucho lo que están haciendo aquí.

—Mucho gusto, Eduardo. Bueno, nosotros somos voluntarios de Habitat for Humanity International.

—¿Qué es Habitat for Humanity International?

—Es una organización sin fines de lucro. Linda y Millard Fuller la empezaron en mil novecientos setenta y seis. La organización trabaja construyendo casas para los pobres.

—¡Qué interesante! ¿Cómo funciona la organización?

—Bueno, construimos casas con la ayuda de voluntarios, y donaciones de dinero y materiales de construcción. Las personas que se benefician de este trabajo tienen que ayudar en la construcción de su casa. Es justo y ellos están muy contentos por ayudar. No aceptamos ayuda financiera del gobierno para la construcción de las casas, pero sí aceptamos su colaboración de otras formas.

—Muy bien. ¿En qué lugares trabaja Habitat?

—En los Estados Unidos actualmente hay cientos de proyectos en cada uno de los cincuenta estados, y hay más de cien proyectos en otros cuarenta países.

—¿Tiene otros programas Habitat?

—Sí, este proyecto que estamos realizando, por ejemplo, es parte del "Proyecto de Jimmy Carter." En este programa, tres iglesias de la comunidad nos unimos para construir una casa rápidamente: ¡en una semana! Empezamos el lunes y terminamos el viernes. Cada verano una ciudad diferente hace el trabajo y este verano lo estamos haciendo nosotros. ¡Es fenomenal! También hay otros programas, como el Programa de Brigadas de Trabajo que envía voluntarios a otros países.

—Pues me interesa mucho el trabajo que están haciendo. ¿Cómo puedo colaborar yo con Habitat?

—Hay varias maneras de colaborar. Puedes pedir fondos, distribuir información, donar materiales de construcción o trabajar como voluntario construyendo casas. Yo tengo sesenta y cinco años. Trabajé en una biblioteca por más de cuarenta años y veía tantas injusticias en nuestra sociedad, pero sentía que no podía hacer nada para mejorar la situación. Ahora sí estoy muy satisfecha de lo que estoy haciendo. Poco a poco, casa por casa, se puede resolver el problema de la gente sin hogar.

Audio Activities, p. 113, Actividad 7.4.
(Use after *Gramática en contexto*, p. 245.)
2:50 Counter no. ___

Nacho y su novia prometieron ayudar a servir la cena del Día de Acción de Gracias mañana en un comedor de beneficencia. Escucha su conversación y luego contesta las preguntas.

—¡Aló!

—¡Hola! ¿Angie? ¿A qué hora debo recogerte mañana para ir al comedor de beneficencia?

—¡Hola! Bueno, el director quiere que lleguemos a la una de la tarde. Pero quiero que me recojas a las doce.

—¿Por qué tan temprano?

—Porque tenemos que ir al supermercado primero. Recuerda que el director quiere que llevemos sal y pimienta para poner en las mesas.

—Yo ya compré sal y pimienta. Mañana llego a tu casa a las doce y media. El comedor no queda muy lejos de tu casa. Está en el centro, al lado del Parque Hidalgo. Vamos a estar allí unas tres horas. Después quiero que vengas a mi casa para cenar con mi familia.

—Está bien, pero espero que no comamos mucho, porque mi familia también quiere que cenemos con ellos.

—Sí, está bien.

—Bueno, hasta mañana entonces.

—¡Que descanses! Nos vemos mañana.

Audio Activities, p. 113, Actividad 7.5.

(Use after *Gramática en contexto*, p. 245.)

3:54 Counter no. ___

Cinco clases de tu escuela colaboraron en varios proyectos de servicio social esta semana. Escucha al director anunciar qué fue hecho por cada clase y escríbelo en la tabla.

Estamos reunidos esta tarde para reconocer el espíritu de colaboración que fue demostrado este mes por cinco clases de nuestra escuela. Las casas de algunos de nuestros vecinos fueron pintadas por los estudiantes de la profesora Rodríguez. Estos jóvenes pasaron muchas horas trabajando con estas familias. Los residentes de un asilo de ancianos fueron visitados por la clase del profesor Moreno. Los estudiantes presentaron un drama que fue muy bien recibido por los ancianos. Un baile de beneficio fue organizado por los estudiantes de la profesora Rendón. Juntaron más de trescientos dólares para el centro recreativo. Durante tres días y después de clases, los miembros de la clase del profesor Fernández fueron de casa en casa solicitando donaciones de ropa. La ropa fue donada al refugio para la gente sin hogar. La venta de pasteles de la clase de la profesora Duarte fue todo un éxito. ¡Casi doscientos dólares fueron juntados para la Cruz Roja!

CAPÍTULO 8

1 Vocabulario para comunicarse
Text, pp. 258–259.

7:32 Counter no. ___

2 Audio Activities, p. 114, Actividad 8.1.
(Use after *Vocabulario para comunicarse*, p. 263.)

7:29 Counter no. ___

El programa de entrevistas, "Aunque Ud. no lo crea," hoy presenta el tema "Experiencias con monstruos." Llena la tabla mientras escuchas el programa.

—Todos hemos escuchado historias o leyendas sobre encuentros con monstruos. El Yeti es quizás la historia más conocida, pero también hay otras historias. Por eso, para el programa de hoy, invitamos a dos personas que creen haber visto monstruos. Nuestra primera pregunta es para la Srta. Ramos. ¿Qué nos dice Ud. sobre su experiencia con monstruos?

—La mía fue una experiencia increíble. Al graduarme de la secundaria yo tenía dieciocho años y mis padres me regalaron un viaje a Sidney, Australia. Y allí, una noche salí a pasear a las afueras de la ciudad. Mientras caminaba escuché un ruido extraño. Alguien me seguía. Dudé si seguir caminando o mirar a quién me seguía. Decidí mirar. Entre las sombras encontré una figura gigantesca. Era una figura extraña de orejas largas. Medía más o menos dos metros de alto, un metro de ancho y pesaba bastante. Cuando miré al monstruo, se echó a correr y daba unos saltos de tres metros de largo. Al siguiente día regresé a buscar evidencias del encuentro y encontré sus huellas. Medían más o menos sesenta centímetros cada una.

—Muy interesante la experiencia de la Srta. Ramos. Ahora escuchemos al Sr. Escobar.

—Cuando yo vi un monstruo, yo tenía treinta años. Un amigo y yo fuimos al campo a mirar las estrellas. Salimos del coche, caminamos hacia el césped y nos acostamos. De pronto vimos una luz muy fuerte de forma geométrica. El diámetro era gigantesco. Yo creo que era una nave espacial porque trazaba círculos en el cielo. Mientras mirábamos la nave espacial, alguien nos echó unas piedras. Recuerdo que sólo vi a una persona que medía más o menos un metro. Cuando mi amigo y yo despertamos, mi coche ya no estaba.

—Muchas gracias. Ahora escuchemos la opinión del público.

—Yo creo que la Srta. Ramos no vio a un monstruo. Más bien era un canguro. En Australia hay muchos animales de ésos.

—Un joven quiere opinar.

—Yo creo que el Sr. Escobar no vio una nave espacial. Era un hombre que vestía un disfraz y que le robó el coche.

3 Tema para investigar

Text, pp. 264–265.

6:34 Counter no. ___

4 Audio Activities, p. 114, Actividad 8.2.

(Use after *Tema para investigar*, p. 267.)

5:44 Counter no. ___

El profesor Ramírez invitó al Dr. Luján a la clase de español para hablar sobre fenómenos inexplicables. Después de escuchar al Dr. Luján, contesta las preguntas escogiendo la respuesta correcta.

> Buenos días jóvenes. Mi nombre es Juan Carlos Luján y yo trabajo como geólogo en el Museo de Antropología e Historia. Su profesor de español me invitó para que hablara sobre fenómenos inexplicables. Primero hablaré de la Isla de Pascua. Ésta es una pequeña isla situada en el Océano Pacífico y pertenece a Chile. En la isla hay unas estatuas de piedra extraordinarias de narices gigantescas y ojos enormes, ovalados, medio misteriosos. Hay una teoría que dice que las estatuas fueron construidas, con la espalda al mar, por habitantes de origen polinesio, pero la verdad no la sabemos. También se cree que la isla era un observatorio.

1. ¿A qué país pertenece la isla de Pascua?
2. Se cree que la isla era . . .
3. Las estatuas fueron construidas por habitantes polinesios. ¿Esto es un mito, una leyenda o una teoría?

A continuación les voy a hablar un poco sobre el misterio de las cabezas olmecas. Éstas se descubrieron en La Venta, México. Estas gigantescas cabezas pesan entre once y veinticuatro toneladas. El origen de las cabezas es desconocido porque en más de ochenta millas alrededor no hay piedras de ese tamaño. Se cree que los habitantes olmecas tuvieron que moverlas y a pesar de que conocían la rueda, los científicos afirman que no la usaban para el transporte. Allí está el misterio de las cabezas olmecas.

4. ¿En qué país se encuentran las cabezas olmecas?
5. ¿Cuántas toneladas pesan las cabezas olmecas?
6. ¿Usaron la rueda los olmecas para transportar las piedras?

5 Audio Activities, p. 115, Actividad 8.3.

(Use after *Gramática en contexto*, p. 279.)

5:30 Counter no. ___

¿Será posible que los estudiantes de secundaria no conozcan bien a sus profesores? Escucha las dudas que tienen los estudiantes sobre sus profesores. ¿Qué dudan y por qué? Escribe las razones en las líneas.

1. Me llamo Chela y dudo que mis profesores vayan a los conciertos de rock. Todos visten muy elegantes.
2. Yo me llamo Enrique y dudo que a mi profesora de matemáticas le guste hablar con la gente después de las clases. Ella siempre está muy seria.
3. Soy Lupe. Yo dudo que mi profesor de pintura prefiera la música clásica al rock. El profesor siempre está cantando canciones de rock.
4. Mi nombre es Malena. Yo dudo que mi profesora de español sea muy estricta con sus hijos. A los estudiantes nos quiere mucho y siempre es muy amable.
5. Yo soy Rafael. Yo dudo que mi profesora de ciencias nunca se equivoque. Ella es muy inteligente.
6. Me llamo Marco y dudo que los profesores sepan los problemas de sus estudiantes. No tenemos mucha comunicación.

7. Mi nombre es Cristina, pero me dicen Quiqui. Yo dudo que los profesores tengan tiempo para ver la televisión. Los profesores siempre están preparando clases.

8. Yo soy Laura. Yo dudo que mi profesora de literatura tenga tiempo para su familia. Ella siempre está leyendo.

9. Me llamo Esteban y dudo que mi profesora de educación física se divierta los fines de semana. Ella es una atleta muy importante y no creo que tenga tiempo para divertirse.

10. Y yo soy María. Yo dudo que los profesores salgan a bailar durante los exámenes finales. Los profesores tienen mucho trabajo con nuestras pruebas.

Audio Activities, p. 116, Actividad 8.4.
(Use after *Gramática en contexto*, p. 279.)
2:05 Counter no. ___

Escucha las siguientes oraciones. Después escribe el número de la oración debajo del dibujo correspondiente.

1. El geólogo quiere que el Sr. Ortiz pese las piedras.
2. Juan quiere que el extraterrestre trace un círculo en el piso.
3. El jefe de los extraterrestres quiere que movamos la piedra del camino.
4. Mi hermano Lalo quiere que midamos el alto de la piedra que está en el campo.
5. El profesor de matemáticas quiere que calculemos la distancia entre la escuela y el museo.

Audio Activities, p. 116, Actividad 8.5.
(Use after *Gramática en contexto*, p. 279.)
3:06 Counter no. ___

Hay familias donde la comunicación entre los padres y los hijos es muy difícil. En ocasiones, los hijos no entienden a los padres o los padres no entienden a sus hijos. Escucha a los estudiantes hablar sobre las cosas que sus padres hayan o no hayan hecho. Después escríbelo en las líneas.

—¡Hola! Yo soy Rebeca. Es increíble que mi padre nunca me haya mentido. A pesar de que en ocasiones le haya hecho preguntas antipáticas cuando él estaba cansado.

—Yo soy Felipe. Cuando mi madre me pide que ayude en casa, tengo que escribir una lista de cosas por hacer porque no recuerdo lo que tengo que hacer. Es probable que mi madre nunca haya escrito una lista de cosas por hacer. ¡Ella es muy inteligente!

—Mi nombre es Samuel. A mi madre no le gusta que yo coma mucha sal. Dudo que mi madre haya comido con sal. Ella no puede comerse una hamburguesa sin preguntar cuánta sal tiene.

—Y yo soy la última. Mi nombre es Roxana. Mi padre es muy alegre en casa, siempre está haciendo chistes. Puede ser que mi padre nunca haya hecho nada malo. Cuando está con sus amigos es muy serio.

CAPÍTULO 9

1 Vocabulario para comunicarse
Text, pp. 294–295.
7:18 Counter no. ___

2 Audio Activities, p. 117, Actividad 9.1.
(Use after *Vocabulario para comunicarse*, p. 299.)
3:19 Counter no. ___

Escucha hablar a los siguientes empleados del Hotel Saldívar. Escribe el número del diálogo debajo de la ilustración correspondiente.

1. —Buenas tardes, Sra. Calixto.
   —¿Qué tal, Pablo? ¿Qué hay de nuevo?
   —Pues hoy le salvé la vida a un niño de cinco años. Él y su hermano entraron a la piscina a las diez de la mañana. ¿Cómo fueron capaces sus padres de dejarlos ir solos a la piscina?

2. —No sé, Pablo. Lo bueno es que tienes entrenamiento para reaccionar ante emergencias como ésas. A este hotel le conviene tener un empleado como tú. Después del incidente, los padres de ese niño fueron a mi oficina para darnos las gracias. Dijeron que iban a ser más cuidadosos con sus hijos de hoy en adelante.

3. —Hotel Saldívar. A sus órdenes. Sí, un momento por favor.

4. —Perdón, Sra. Calixto, aquí está la orden de papel que usted pidió.
   —Ah, muy bien. Gracias.
   —Por favor firme aquí. La copia amarilla es la suya.

3 Tema para investigar

Text, pp. 300–301.

6:22 Counter no. ___

4 Audio Activities, p. 117, Actividad 9.2.

(Use after *Tema para investigar*, p. 303.)

3:52 Counter no. ___

Ana y Leonora trabajan en el mismo edificio en el centro de la ciudad. Escucha la conversación que tienen cuando se encuentran en el ascensor. Mientras escuchas, llena la tabla.

—¡Hola! Trabajas en el departamento de personal, ¿verdad?

—Sí, yo me llamo Leonora Sahagún. Soy asistente administrativa de Anita Mercado. ¿Tú cómo te llamas?

—Ana Cervantes. Mucho gusto. Llevo dos años como secretaria de Alejandro Prado en el departamento de relaciones públicas.

—Yo te he visto antes. Estudiaste en la universidad del estado, ¿verdad?

—¡Sí! Estudié música. Mi trabajo no tiene nada que ver con música, pero el sueldo es bueno, y como el trabajo es de tiempo parcial, por las tardes tengo tiempo de practicar con mi grupo de rock. Es fácil el trabajo. Sólo tengo que contestar el teléfono, hacer las citas, llenar formularios, mantener los archivos y escribir los reportajes del Sr. Prado. Él es muy buen jefe; es muy respetuoso. Estoy aprendiendo mucho.

—Yo también me llevo bien con mi jefa. Hace dos meses que trabajo con ella. Yo estudié sicología en la misma universidad que tú. ¡Qué coincidencia! Me encanta mi trabajo. Yo estoy encargada de administar la oficina, escribir los anuncios clasificados y servir de guía para los nuevos empleados. Además, estoy conociendo a mucha gente.

—Bueno, hasta luego, Leonora.

—Sí, que tengas buen día.

5 Audio Activities, p. 118, Actividad 9.3.

(Use after *Gramática en contexto*, p. 313.)

3:26 Counter no. ___

Manolo y su novia terminaron su relación ayer y Manolo está muy triste. Mientras escuchas a sus amigos dándole consejos, escribe en la tabla el consejo de cada persona. Después añade *(add)* tu propio consejo a la lista.

—¡Ay, qué tristeza! Susana, ¿qué puedo hacer para olvidarla?

—Lo siento mucho, Manolo. Yo te aconsejo que no vayas al lugar donde se conocieron. ¿Verdad, Mario?

—Sí, de acuerdo. Y no te quedes en casa. Sal con tus amigos. ¡Diviértete! ¿Tú qué piensas, Serafina?

—Vas a tener muchas ganas de hablar con ella, ¡pero no lo hagas! ¡No la llames por teléfono! ¿Qué dices, Roberto?

—Bueno, cuando Claudia y yo terminamos, traté de ocupar mi tiempo aprendiendo algo nuevo. Inscríbete en una clase de arte. Eso me ayudó a mí.

—Marina, ¿qué hiciste tú cuando terminaste con Franco?

—Bueno, yo pasé por un tiempo muy difícil. Para sentirme mejor, yo jugaba básquetbol. Participa en algún deporte. A ti te gusta jugar tenis, ¿no? Ricardo también juega. Ricardo, ¿por qué no invitas a Manolo a jugar tenis?

—¡Sí, hombre! Yo no sabía que tú jugabas. Fíjate una nueva meta. Hay que entrenar para el campeonato regional de tenis. ¿Qué te parece si jugamos los martes y jueves a las cinco y media?

—Bueno, me parece buena idea.

Audio Activities, p. 118, Actividad 9.4.

(Use after *Gramática en contexto*, p. 313.)

5:17 Counter no. ___

Cristina está buscando empleo y ha solicitado ayuda a una agencia de trabajo. Escucha las ofertas de trabajo de la agencia y escribe el número de la oferta debajo de la ilustración correspondiente.

1. Se solicitan dos personas que sepan reparar toda clase de computadoras. Se requiere que tengan por lo menos dos años de experiencia. Se ofrece buen sueldo y horas flexibles. Favor de mandar su solicitud a Margarita Vásquez, apartado postal número dos veinticinco.

2. La zapatería El Zapato Barato busca a una persona de buenos modales. Se requiere que tenga un año de experiencia en la venta de zapatos. Favor de presentarse en la calle Zaragoza número quince para entregar su solicitud.

3. Construcciones Anaya necesita personas para un proyecto de seis meses. Es importante que sean puntuales, honestas y trabajadoras. Favor de llamar al cinco-cinco-cinco, ocho-nueve-dos-cinco para hacer una cita.

4. La Corporación Gallo busca a una persona ambiciosa para encargarse del Departamento de ventas internacionales. Es necesario que hable inglés y español y que sea cortés. Las personas interesadas deben enviar su solicitud a Jaime Mireles, calle Reforma número veintidós.

5. La Papelería Oficina Fina busca a dos personas que conozcan la ciudad para repartir papel, sobres y formularios a oficinas. Se requiere que tengan coche propio y que sean puntuales y eficientes. Favor de llamar al señor Enrique Garibaldi al cinco-cinco-cinco, dos-dos-tres-uno para más información.

6. Reparo Caro busca a una persona que sepa reparar coches domésticos. La persona debe tener licencia del estado. Personas interesadas favor de hacer una cita llamando al cinco-cinco-cinco, dos-cinco-seis-tres.

Audio Activities, p. 119, Actividad 9.5.
(Use after *Gramática en contexto*, p. 313.)
4:19 Counter no. ___

Hay varias maneras de pedir un ascenso. Escucha cómo lo piden Mercedes y Marta. ¿Quién merece el ascenso? ¿Quién no lo merece? Escribe tus razones en las tablas.

1. ¡Hola, Sr. Galindo! ¡Me sorprende que usted también coma en la cafetería de los empleados! Usted no me conoce; soy Mercedes Salinas. Hace tres meses que trabajo como secretaria en el Departamento de relaciones públicas, pero me gustaría más ser asistente administrativa en el Departamento de ventas. ¿Qué le parece si me da un ascenso? ¡No me diga que tendré el trabajo cuando aprenda a usar la computadora! ¡Uf! ¡No me gustan las computadoras! Bueno, piénselo y llámeme cuando tenga tiempo. ¡Qué bonita corbata!

2. —Buenos días. Soy Marta Oliva. Tengo una cita con el Sr. Galindo.
—Tome asiento, por favor. En seguida lo llamo.
—Sr. Galindo, ya llegó la Srta. Oliva. Está bien.
—Pase, por favor. El Sr. Galindo la está esperando.
—Buenos días Sr. Galindo. Mucho gusto en conocerlo. Le pedí esta cita para hablar sobre mi futuro en esta compañía. Empecé a trabajar tiempo parcial de asistente en el Departamento de ventas. Ahora que terminé mi carrera en la universidad, me gustaría trabajar tiempo completo. Aquí tiene la carta de recomendación de mi supervisor. Cuando necesite una asistente administrativa, por favor comuníquese conmigo.

6 Fondo literario
Naranjas
Text, pp. 476–481.
9:36 Counter no. ___

CAPÍTULO 10

1 Vocabulario para comunicarse
Text, pp. 328–329.
6:44 Counter no. ___

2 Audio Activities, p. 120, Actividad 10.1.
(Use after *Vocabulario para comunicarse*, p. 333.)
2:27 Counter no. ___

Mientras escuchas el siguiente reportaje sobre un crimen que acaba de ocurrir, llena el formulario con los datos del crimen.

Y ahora las noticias del día. Estamos en el Banco Bilbao, donde hoy, doce de abril, a las cuatro y media de la tarde, ocurrió un tiroteo que hirió a un hombre y causó la muerte a otro. Martín Solanos fue empleado de este banco por treinta años, pero hoy, junto con otro empleado, fue rehén durante cinco horas. Según un testigo, Jorge Vallejo secuestró a los dos empleados una semana después de perder su trabajo en el banco. El guardia del banco luchó con Vallejo para quitarle la pistola de las manos, y comenzó un tiroteo que causó la muerte de Solanos. El otro empleado fue herido gravemente en el tiroteo. Más detalles en el noticiero de las seis.

3 Tema para investigar
Text, pp. 334–335.
6:22 Counter no. ___

4 Audio Activities, p. 120, Actividad 10.2.
(Use after *Tema para investigar*, p. 337.)
2:02 Counter no. ___

¿Qué medidas toman los países para reducir el crimen? Mientras escuchas cada uno de los siguientes datos, escribe en la línea una de las medidas que toma cada país en la lucha contra el crimen.

1. En Costa Rica, el sistema educativo recibe la quinta parte del dinero federal y el ejército no recibe nada, ¡porque Costa Rica no tiene ejército! Y la mayoría de los policías no llevan armas.
2. Algunas leyes islámicas de Arabia Saudita imponen castigos corporales. El temor a estas penas severas ayuda a reducir el crimen.
3. Algunos estados de los Estados Unidos imponen la pena de muerte para crímenes como el terrorismo y el narcotráfico a gran escala.

5 Audio Activities, p. 121, Actividad 10.3.
(Use after *Gramática en contexto*, p. 349.)
3:00 Counter no. ___

Mientras escuchas a estas personas participar en un proceso judicial, determina quién está hablando y pon una *X* en el lugar correspondiente de la tabla.

1. Sr. Verdugo, llame al primer testigo, por favor.
2. Señorita, díganos su nombre, por favor. Señale al acusado y explíquenos cuál es su relación con él.
3. Me llamo Rosalía Granada. El acusado es ese señor, Jorge Vallejo, y fue mi compañero de trabajo. Cuando entró al banco, creí que llegaba a trabajar, pero me asombró cuando vi que estaba armado. Luego nos dijo "¡No se muevan!"
4. Señores y señoras del jurado, examinen por favor la evidencia.
5. ¡Créame, señor juez, soy inocente! ¡No me meta en la cárcel!
6. ¡Señor, siéntese, por favor y no hable fuera de turno!

Audio Activities, p. 121, Actividad 10.4.
(Use after *Gramática en contexto*, p. 349.)
4:45 Counter no. ___

Un policía está dando una charla sobre cómo defenderse en casa. Escucha las siguientes situaciones que presenta el policía. Después de escuchar cada situación y las tres opciones, escoge la mejor opción y explica por qué la escogiste. Al final de la actividad, el policía dará las respuestas.

1. ¿Qué haría Ud. en la siguiente situación? Está solo en casa y alguien llama a la puerta. Desde la ventana se ve un hombre uniformado con un paquete. También se puede ver un camión que dice "Correo Expreso." Pero Ud. no espera un paquete. ¿Qué debe hacer?
   a: Abra la puerta para recibir el paquete.
   b: Quédese quieto. Espere que el hombre se vaya.
   c: Hable en voz muy alta y diga "Yo voy, José." Luego pregúntele al hombre qué quiere.
2. Aquí está la segunda situación: Ud. está solo en la casa otra vez. Suena el teléfono. Es alguien que dice que ha ganado un regalo. Sólo necesita el número de su tarjeta de crédito. ¿Qué debe hacer?
   a: Dígale que no puede dar esa información.
   b: Pregúntele qué ganó.
   c: ¡Qué buena suerte! Dele su número para disfrutar de su regalo.
   —La mejor respuesta para la primera situación es la "c." Es mejor que el hombre piense que hay otra persona con usted en casa.
   La mejor respuesta para la segunda situación es la "a." No debe darle a nadie su número de tarjeta de crédito sin saber a quién se lo está dando.

Audio Activities, p. 122, Actividad 10.5.

(Use after *Gramática en contexto*, p. 349.)

2:20 Counter no. ___

Jorge está muy triste porque le han robado. Mientras habla con Sandra acerca del robo, escribe el número del diálogo debajo del dibujo correspondiente.

1. ¡Hola, Sandra! ¡Qué mala suerte tengo! Anoche unos ladrones entraron a mi casa a robar. ¡Lo que más me duele es que se hayan llevado mi equipo de sonido!

2. ¡Ay, Jorge! ¿Cómo no los oíste? ¡Me sorprende que hayas estado dormido durante el robo!

3. Sandra, ¡ni un terremoto me puede despertar! Además, ¿para qué arriesgo mi vida? Me da gusto que no se hayan llevado el collar y los aretes de mi madre.

4. No te preocupes, Jorge. Pronto van a encontrar a esos ladrones y los van a meter en la cárcel. Ya verás.

CAPÍTULO 11

1 Vocabulario para comunicarse

Text, pp. 366–367.

5:37 Counter no. ___

2 Audio Activities, p. 123, Actividad 11.1.

(Use after *Vocabulario para comunicarse*, p. 371.)

5:00 Counter no. ___

Un grupo de estudiantes visita Andalucía, región del sur de España. Escucha a los estudiantes hacerle preguntas a la guía y determina qué dibujo corresponde a la pregunta. Después escribe la respuesta debajo del dibujo.

—¡Hola! ¡Bienvenidos a Granada! Mi nombre es Elena Martín; yo seré su guía. En Granada se mezclaron las culturas musulmanas, judías y cristianas. Y lo podemos admirar en la arquitectura de las mezquitas, sinagogas y catedrales. Caminar por los jardines de los alcázares es una experiencia extraordinaria. Miren esa fuente de colores.

—¡Qué bonita! ¿Con qué material decoraron la fuente?

—Con azulejos de colores. Ahora caminemos hacia la Catedral. A la derecha está la capilla real; debajo de las estatuas de los Reyes Católicos están sus tumbas.

—¿Cómo se llamaron los Reyes Católicos?

—El rey Fernando y la reina Isabel. Después de varios siglos de batallas contra los musulmanes, Granada fue conquistada por los Reyes Católicos en mil cuatrocientos noventa y dos. Antes de la conquista de Granada, había una gran diversidad cultural. La influencia de estas culturas la encontramos en el idioma que hablamos los hispanohablantes.

—¿Cómo se llama ese castillo?

—Se llama la Alhambra. Es el castillo donde vivían los reyes musulmanes. Caminemos hacia el Patio de los leones. La fuente es una joya de la arquitectura. ¡Miren qué bonita es el agua que sale por la boca de los leones! Por hoy es todo y que se diviertan en Andalucía.

3 Tema para investigar

Text, pp. 372–373.

9:28 Counter no. ___

4 Audio Activities, p. 123, Actividad 11.2.

(Use after *Tema para investigar*, p. 375.)

6:30 Counter no. ___

Teresa está interesada en saber más sobre la fusión de culturas que tuvo lugar en México. Por eso fue a la oficina de turismo a buscar información. Mientras escuchas la conversación, escribe el nombre de los lugares de interés que faltan en el mapa.

—¡Bienvenida! ¿En qué la puedo ayudar?

—Buenos días. Estoy muy interesada en conocer lugares de interés que tengan que ver con el encuentro de culturas entre los conquistadores y los indígenas.

—¡Excelente! Tenemos un mapa del centro histórico de la ciudad, pero no es duradero porque casi todos los días hay nuevos descubrimientos. Pero si Ud. me pregunta quizás la puedo ayudar y Ud. escribe lo que busca en el mapa.

—¡Muchas gracias! ¿Dónde está el Templo Mayor? ¿Y podría explicarme un poco acerca de él?

—El Templo Mayor no está en el mapa, pero está localizado en B, 3. Así que escriba el nombre en el mapa. El Templo Mayor está enfrente de la Catedral. Una de las cosas que los españoles trajeron a México fue la arquitectura. Después de que el conquistador Hernán Cortés tomó Tenochtitlán, hoy en día Ciudad de México, destruyeron los templos indígenas y construyeron edificios sobre las ruinas. Lo podemos ver en los edificios que se han conservado a través de los siglos y son de la época de la Colonia.

—¿Y las ruinas dónde están?

—Hay ruinas por todas partes, especialmente en el lugar B, 1. Las ruinas las encontraron recientemente, son nuevas y no están en el mapa. Recuerde las ruinas están en B, 1. En A, 3, los arqueólogos encontraron una tumba. Allí había dos cuerpos dentro de un cuenco gigante. Los arqueólogos dicen que los cuerpos eran de un esclavo y una esclava. Los aztecas esclavizaban a otros indígenas en sus guerras contra otras tribus. La injusticia existía entre los conquistadores españoles y también entre las diversas culturas indígenas.

—¿Hay algún lugar que muestre la mezcla de las dos culturas?

—Sí. Últimamente los arqueólogos descubrieron una fuente. La fuente está en A, 2. El dibujo no está en el mapa, pero puedes escribirlo. Ésta es una fuente hecha con azulejos de colores y es el resultado de la fusión de diversas culturas entre las razas europeas e indígenas. En la fuente se combinan diversos estilos de arquitectura: el indígena, árabe, judío y español.

—Muchas gracias. Creo que con esta información ya puedo visitar estos lugares tan interesantes.

5 Audio Activities, p. 124, Actividad 11.3.
(Use after *Gramática en contexto*, p. 385.)
4:42 Counter no. ___

Los jóvenes de cuarto año de secundaria están hablando sobre la tradición de dar la bienvenida de iniciación a los nuevos estudiantes. Escucha a los estudiantes hablar y después contesta las preguntas escogiendo la respuesta correcta.

—¡Hola! Mi nombre es Neli. Ésta será la bienvenida de iniciación a la secundaria. ¡Nunca la olvidarán! A través de los años, hemos dado la tradicional bienvenida a los estudiantes nuevos. Para que puedan ser nuestros amigos, primero deben obedecer a los estudiantes mayores por una semana. Ahora les diremos cómo fue nuestra

bienvenida y luego les diremos cómo será la suya.

1. —¡Hola, amigos! Mi nombre es Joaquín. Cuando nosotros entramos a la secundaria, los estudiantes de cuarto año insistían que nosotros les saludáramos sin palabras. Pero Uds. no tienen que hacer eso. Nosotros queremos que nos compren un helado cada semana en vez de saludarnos sin palabras.

—¿Cómo saludaba Joaquín a los estudiantes de cuarto año?

2. —Mi nombre es Penelope. Cuando nosotras fuimos estudiantes nuevas, las mayores exigían que nosotras les ayudáramos con su tarea. Uds. no tienen que hacerlo. Nosotras queremos que Uds. lleven nuestros libros. Esto no es tan malo. En tres años Uds. tendrán la misma oportunidad que nosotras.

—Según Penelope, ¿qué quiere exigirles a las nuevas estudiantes?

3. —Yo soy Andrés. Cuando fuimos los nuevos estudiantes, debíamos tener dinero para comprar el almuerzo a los mayores. Pero hoy no es necesario. Sólo sugerimos que compartan su almuerzo con nosotros.

—¿Con quién quiere Andrés que compartan el almuerzo los nuevos estudiantes?

Audio Activities, p. 124, Actividad 11.4.
(Use after *Gramática en contexto*, p. 385.)
4:47 Counter no. ___

El profesor de español invitó a tres personas famosas para hablar a la clase sobre el éxito y cómo obtenerlo. Mientras escuchas a las personas hablar, llena la tabla.

—Karina, Héctor y Julio fueron estudiantes de nuestra escuela. Ellos han alcanzado el éxito y los invitamos a la clase para que compartan sus experiencias con nosotros.

—Yo soy Héctor. Yo comencé a tocar el piano cuando tenía cuatro años. Mi profesor insistía en que yo supiera tocar todas las notas complicadas. En la secundaria me dediqué a jugar béisbol, pero mi padre prefería que yo siguiera tocando piano. Poco a poco entendí que un día yo conduciría la orquesta del estado. Y así fue. ¡La música es todo para mí!

—Buenas tardes. Mi nombre es Karina. Yo también fui estudiante de esta escuela. Trabajo en el hospital Casa Blanca. En la secundaria, la profesora de ciencias me exigía que dedicara todo mi tiempo libre a los libros de ciencia. Ella quería que yo estuviera estudiando todo el tiempo. ¡Qué exigente era mi profesora! Hace dos años me gradué de médica y ahora me siento muy contenta. Todas las horas que pasé estudiando me ayudaron para ser una médica.

—Mi nombre es Julio y soy campeón de natación. Comencé a tomar clases de natación en la primaria. En la secundaria el entrenador quería que yo estuviera en el equipo de natación y me hizo entrenar bastante. El entrenador me dijo que pusiera todo de mi parte y él me haría un campeón. La única condición que me puse fue que yo viniera muy temprano a la escuela a entrenar. Ahora tengo una medalla. ¡Valió la pena!

Audio Activities, p. 125, Actividad 11.5.
(Use after *Gramática en contexto*, p. 385.)
3:04 Counter no. ___

El último día del campamento de verano, varios consejeros y consejeras están hablando sobre lo que hicieron para que uno de los niños pudiera dormir bien. Escucha a los consejeros hablar y después escribe el número de la oración debajo del dibujo correspondiente.

1. Yo le llevé un vaso de leche con galletas al niño que no podía dormir bien para que se tranquilizara.
2. Yo hablé con el niño al siguiente día en la cafetería para que supiera que sólo era un sueño y no la realidad.
3. El niño despertó llorando, y le leí un cuento para que se quedara dormido otra vez.
4. El niño tenía miedo de dormir con la luz apagada después de ver una película de horror. Yo encendí la luz para que pudiera dormir tranquilo y le dije que no volviera a ver más películas de horror.
5. Yo le conté algo chistoso para que se riera.
6. El niño no podía dormir y por eso llamé a sus padres para que hablaran con su hijo y después se quedó bien dormido.

6 Fondo literario
Balada de los dos abuelos
Text, pp. 488–490.
2:46 Counter no. ___

CAPÍTULO 12

1 Vocabulario para comunicarse
Text, pp. 400–401.
6:43 Counter no. ___

2 Audio Activities, p. 126, Actividad 12.1.
(Use after *Vocabulario para comunicarse*, p. 405.)
4:36 Counter no. ___

La organización de Jóvenes Profesionistas de Miami tiene una reunión para intercambiar opiniones sobre las ventajas de saber otro idioma. Mientras los escuchas hablar, llena la tabla con la información correspondiente.

—¡Hola! Mi nombre es Felicia. Yo tengo facilidad para los idiomas. Soy bilingüe; hablo inglés y español. Soy contadora y trabajo para una compañía internacional. Los idiomas que hablo son una ventaja para la compañía, porque muchos de nuestros clientes hacen negocios en países latinoamericanos. La ventaja de mi trabajo es que puedo ganar mucho dinero y viajar a otros países.

—Buenos días. Me llamo Luis y soy banquero. En la universidad estudié administración de negocios y lenguas extranjeras. Aunque domino el inglés, el español y el francés, creo que me hace falta aprender italiano. Gracias a mis hablilidades con los idiomas ya me pueden aumentar el sueldo porque mis clientes son sudamericanos.

—¡Hola! Mi nombre es Carmen y soy traductora. Yo traduzco documentos del español y del polaco al inglés para las iglesias de mi comunidad. La ventaja de mi trabajo es que puedo trabajar en casa. Yo siempre soñé con trabajar en casa y nunca imaginé que sería una realidad. Ahora soy una traductora profesional y puedo estar con mis hijos más tiempo.

—Buenos días. Mi nombre es Sergio y soy médico en un hospital. Hablo inglés, español y por señas. También hablo árabe y portugués pero cometo muchos errores al hablarlos. La ventaja más grande de mi trabajo es que puedo ayudar a la gente sorda.

3 Tema para investigar

Text, pp. 406–407.

6:53 Counter no. ___

4 Audio Activities, p. 127, Actividad 12.2.

(Use after *Tema para investigar*, p. 409.)

3:50 Counter no. ___

Es la semana de lenguas extranjeras en la escuela. El club de español está organizando un concurso sobre el uso de los idiomas a nivel mundial. Escucha las preguntas y escribe las respuestas en las líneas.

1. ¿Cuáles son las tres lenguas que más se hablan a nivel mundial?
2. ¿Cuáles son los tres idiomas extranjeros que más se estudian a nivel académico en los Estados Unidos?
3. ¿Cuáles son los tres idiomas que más se hablan en los Estados Unidos?
4. ¿Cuáles son los tres estados de los Estados Unidos que tienen el nivel más alto de personas que no hablan inglés?
5. ¿Cuál de estos países tiene el mayor número de personas que hablan español: los Estados Unidos, Inglaterra, Canadá, Australia o Irlanda?
6. ¿Entre los inmigrantes que viven en los Estados Unidos, ¿qué lengua materna es más común: el polaco, el español o el inglés?
7. ¿En qué país es el español el idioma oficial: Brasil, Portugal o Paraguay?
8. ¿Cuál de estos países es el más multicultural: los Estados Unidos, Francia o España?

5 Audio Activities, p. 127, Actividad 12.3.

(Use after *Gramática en contexto*, p. 419.)

5:30 Counter no. ___

En la clase de español, el profesor Cruz les pide a los estudiantes que imaginen los deseos que pedirían si encontraran una lámpara mágica. Escribe lo que cada estudiante pediría. En la última línea escribe lo que tú pedirías.

—Las leyendas dicen que cuando una persona toca la lámpara mágica se puede cumplir cualquier deseo. ¿Qué pedirían Uds. si encontraran una lámpara mágica? ¿Qué pedirías tú, Patricia?

—Siempre he soñado en conocer la isla de Manhattan. Me quedaría en un hotel de lujo. Iría al teatro a Broadway, conocería la Estatua de la Libertad y comería en restaurantes elegantes. Yo pediría un viaje a Nueva York. Ahora le toca a Daniel.

—Sin duda, pediría algo que hiciera toda mi tarea, incluyendo las composiciones de la clase de español. Por ejemplo, le pediría una composición sobre los mayas, y pum, pam, pum . . . obtendría la composición perfecta. ¡Ya sé! Pediría una computadora especial. Mario, te toca.

—Yo quiero estudiar para médico. Me interesa trabajar con la gente en mi comunidad. Pediría ayuda a las universidades para descubrir nuevas medicinas. Por eso, también querría ser un científico famoso. Sigue, Maritza.

—Primero pediría una casa para mis padres. Después pediría un carro para ir a la universidad. Le toca a Esteban.

—Desde que soy miembro del equipo de fútbol, nunca he metido un gol. Pediría unos zapatos muy especiales para jugar fútbol. Yo me los pondría y ellos me harían meter goles.

—¡Qué maravilla de clase! Todos tienen mucha imaginación. Y tú, ¿qué le pedirías a la lámpara mágica?

Audio Activities, p. 128, Actividad 12.4.

(Use after *Gramática en contexto*, p. 419.)

4:52 Counter no. ___

Ignacio es un estudiante de intercambio y visita una secundaria en Los Ángeles. Los estudiantes de la clase de español invitaron a Ignacio para intercambiar opiniones sobre la cultura española. Escucha a cada estudiante y determina si su comentario es falso o verdadero.

—Mi nombre es Juan. A mí me gustan mucho las corridas de toros. ¿Es verdad que si viviera en España, podría ver una corrida de toros todos los días, Ignacio?

—No. En realidad las corridas de toros sólo puedes verlas los domingos.

—Yo soy Carla y me encantan los cafés. ¿Si fuera española, podría hablar con mis amigas en un café por horas sin molestar a nadie?

—Sí. Hablar y tomar refrescos es un pasatiempo en toda España. Además hay cafés muy hermosos.

—Yo me llamo Toño. Si visitara España, ¿podría conocer al Rey Juan Carlos y a la Reina Sofía?

—¡Creo que no! La verdad es que yo nunca los he visto en persona. Sólo por la televisión o en los periódicos.

—Yo soy Josefa. Si tuviera dinero, me gustaría estudiar arte en el Museo del Prado. ¿Sería posible?

—¡Claro! Puedes estudiar en la escuela del museo. También hay muchos estudiantes y aficionados al arte que se paran enfrente de las pinturas y hacen dibujos de ellas para aprender la técnica de los grandes pintores.

—Mi nombre es Carmen. Si trabajara en España, comería a la misma hora que en los Estados Unidos, ¿verdad?

—En el pasado no, pero ahora sí. Muchos empleados almuerzan en la cafetería de las compañías donde trabajan. Ya no van a casa a almorzar. Todo está cambiando.

Audio Activities, p. 128, Actividad 12.5.

(Use after *Gramática en contexto*, p. 419.)

5:12 Counter no. ___

Lucy estudia en una secundaria de Arizona. El profesor de la clase de español la invitó a su clase para entrevistarla sobre su experiencia como inmigrante. Contesta las preguntas mientras escuchas a Lucy.

—¡Hola, Lucy! Yo soy el profesor de español. ¡Bienvenida a nuestra clase! Los estudiantes escriben una composición todos los viernes. Hoy te invitamos para que nos hables sobre tu experiencia de inmigrante. ¿De dónde eres y qué harías en tu país si todavía estuvieras allá?

—Yo nací en Venezuela, pero crecí en Costa Rica. Mi padre es un administrador de negocios y por eso mi familia viaja tanto. El año pasado le ofrecieron un empleo a mi padre en Arizona y aquí estamos.

—¿Dónde aprendiste inglés?

—Aquí, en los Estados Unidos. Los primeros meses que pasé en este país, hablaba español solamente. En la escuela, mi única amiga era Mary Carmen. Por lo menos podía hablar con ella. Mary Carmen es bilingüe y en ocasiones me traducía. Si hubiera estudiado inglés en mi país, habría sido más fácil, pero estudié francés.

—Pero ahora hablas inglés muy bien.

—Creo que sí. Pero si estuviera en Costa Rica, nunca lo habría aprendido. En Arizona, mi inspiración fue la Sra. López. Ella era de Ecuador pero hace 20 años que vive en los Estados Unidos. Ella me entendió muy bien porque también ella fue inmigrante y me ayudó.

—Es importante ayudarnos los unos a los otros, ¿verdad?

—Los beneficios de la amistad son muchos. Es importante que convivamos con personas de otras culturas. Por eso me encanta vivir en los Estados Unidos porque es una sociedad multicultural.

—Muchas gracias por hablar con nosotros, Lucy. ¡Qué tengas buena suerte en tus estudios!

—Gracias por invitarme.